D1280374

ALLER-RETOUR AU PAYS DE LA FOLIE

Données de catalogage avant publication (Canada)

Vigneault, Luc

Aller-retour au pays de la folie

Autobiographie.

1. Vigneault, Luc. 2. Malades mentaux - Québec (Province) - Biographies. I. Cailloux-Cohen, Suzanne. II. Titre.

RC464.V53A3 1997 616.89'0092 C97-941181-5

DISTRIBUTEURS EXCLUSIFS:

- Pour le Canada et les États-Unis:
  MESSAGERIES ADP*
  955, rue Amherst
  Montréal, Québec
  H2L 3K4
  Tél.: (514) 523-1182
  Téléc.: (514) 939-0406
  * Filiale de Sogides ltée
- Pour la Belgique et le Luxembourg:
  PRESSES DE BELGIQUE S.A.
  Boulevard de l'Europe, 117
  B-1301 Wavre
  Tél.:(010) 42-03-20
  Téléc.: (010) 41-20-24
- Pour la Suisse:
  TRANSAT S.A.
  Route des Jeunes, 4 Ter
  C.P. 125
  1211 Genève 26
  Tél.: (41-22) 342-77-40
  Téléc.: (41-22) 343-46-46
- Pour la France et les autres pays:
  INTER FORUM
  Immeuble Paryseine, 3, Allée de la Seine,
  94854 Ivry cedex
  Tél.: 01 49 59 11 89/91
  Téléc.: 01 49 59 11 96
  Commandes: Tél.: 02 38 32 71 00
  Téléc.: 02 38 32 71 28

Dépôt légal: 4e trimestre 1997
Bibliothèque nationale du Québec

ISBN 2-7619-1402-3

Suzanne Cailloux-Cohen
Luc Vigneault

Aller-retour au pays de la folie

Récit

Illustrations: Jean-Marie Savage

À nos familles,
à ceux que ce livre saura aider,
à ceux qui contribuent à la mise en place
du réseau alternatif

À Henri, mon mari
SUZANNE CAILLOUX-COHEN

À Johanne, ma compagne
LUC VIGNEAULT

Quand les personnes traitées en psychiatrie prennent la parole, quand l'espoir devient une alternative

Qui aurait cru que Luc Vigneault, ex-patient psychiatrique, serait un jour délivré de ses troubles mentaux? Qui aurait imaginé qu'il deviendrait un symbole d'espoir?

Voici en quelques pages l'histoire de sa vie, aujourd'hui source d'inspiration pour beaucoup de ses semblables. Moi, Suzanne Cailloux-Cohen, qui suis journaliste, j'ai trouvé important de reconstituer le récit de cette expérience remarquable, à partir d'entretiens réguliers que j'ai eus avec Luc pendant près d'une année. Cette histoire, je l'ai mise en forme en prenant soin de reprendre le plus fidèlement possible les mots et expressions qui sont les siens.

Afin de donner un poids supplémentaire aux affirmations de Luc et de tous ceux qui ont pris un chemin autre que celui de la psychiatrie biomédicale pour se sortir de leur condition, j'ai intercalé, entre les épisodes de cette narration, des commentaires, fruits d'une recherche de plusieurs années. Cette recherche, entreprise au moment de la préparation du *Guide critique des médicaments de l'âme*[1] écrit en collaboration avec le Dr David Cohen, m'a amenée à dépouiller un nombre considérable de

1. David Cohen, Suzanne Cailloux-Cohen et l'AGIDD-SMQ. *Guide critique des médicaments de l'âme*, Montréal, Éditions de l'Homme, 1995.

traités, manuels et articles scientifiques, à rencontrer d'innombrables rescapés de la psychiatrie et à me renseigner sur les expériences sur le plan humain tentées ailleurs dans le monde.

Loin d'être isolé, le cas de Luc Vigneault concorde avec les centaines de témoignages de gens qui ont échappé à la psychiatrie et qui, grâce au soutien du réseau de santé alternatif, reprennent progressivement la maîtrise de leur vie. Ce livre donne un aperçu de la véritable révolution dans le domaine des soins à donner aux personnes souffrant de troubles mentaux, un phénomène qui prend aujourd'hui une ampleur insoupçonnée.

«... J'étais suivi par une ombre qui me terrorisait...
je connais enfin le bonheur de vivre.»

Qui j'étais et qui je suis devenu

Je m'appelle Luc Vigneault. Vous m'avez peut-être déjà rencontré errant dans les rues, hirsute et hagard, criant des injures à l'intention d'interlocuteurs invisibles. Oui, le fou que vous avez vu, c'était peut-être moi. Depuis ces tristes jours, j'ai cessé d'être fou et j'ai même acquis la certitude que je ne le serai jamais plus.

Quand j'ai été hospitalisé en psychiatrie, j'ai reçu un diagnostic de trouble de la personnalité limite avec tendances paranoïdes et dépressives[1]. Moi, je sais que c'était pire et que ce que certains appellent la schizophrénie m'habitait déjà depuis plusieurs années. Les psychiatres étaient en effet loin de se douter que cela faisait quinze ans que j'étais suivi par une

1. Selon le *Manuel diagnostique et statistique des troubles mentaux* (DSM IV) publié par l'American Psychiatric Association, le trouble de la personnalité limite est défini comme «un mode général d'instabilité des relations interpersonnelles, de l'image de soi et des affects avec une impulsivité marquée, qui apparaît au début de l'âge adulte.»

ombre qui me terrorisait. Ils ne savaient pas non plus que j'avais pris l'habitude de me réfugier dans des personnages qui venaient prendre ma place quand je les appelais et qui me permettaient de m'absenter de moi-même. Des amis m'ont dit avec gêne qu'ils m'avaient vu, au cours d'une de mes absences, entrer dans des restaurants pour manger à même l'assiette de clients attablés. Je les sais charitables, ils ne m'ont sûrement pas tout dit. Je ne me souviens pas de ce que je faisais pendant ces absences, mais je constate sur mon corps des cicatrices dont je suis incapable d'expliquer la provenance, traces probables de batailles que j'ai livrées aux monstres qui me hantaient et aux personnes qui les incarnaient sur mon passage. Je n'ai rien dit de tout cela à mes psychiatres quand on m'a hospitalisé; j'avais déjà suffisamment de problèmes.

Cette santé mentale qui m'avait toujours fait défaut, je l'ai gagnée à force d'acharnement au cours de ces dernières années. Je sais à présent que cette santé est à la portée de tous ceux qui souffrent comme j'ai souffert. Mon travail comme bénévole puis comme intervenant dans le réseau alternatif de la santé mentale, qui agit hors des sentiers de la psychiatrie traditionnelle, m'en apporte des preuves tous les jours. Ce n'est pas la psychiatrie qui nous aurait sortis, moi et mes semblables, de l'enfer qui était le nôtre, loin de là. Si nous n'avions pas échappé à ses bons soins, nous serions encore à nous bercer, l'air perdu. C'est donc pour donner espoir à ces gens qui se croient condamnés à vie ainsi qu'à leurs proches que je prends la parole aujourd'hui, au nom des innombrables rescapés de la psychiatrie que je connais. Maintenant professionnels, commerçants, commis, ouvriers, bénévoles ou assistés sociaux, ces hommes et ces femmes qui avaient de sérieux problèmes de santé mentale ont retrouvé le chemin de la vie en société.

Ces personnes ont une immense pudeur à afficher leur passé psychiatrique en raison des préjugés que nourrissent les gens envers ceux qui souffrent de troubles mentaux. Beaucoup d'entre elles, aussi, n'ont pas encore réussi à maîtriser la colère qu'elles ressentent quand elles évoquent la façon dont elles ont été traitées et n'arrivent pas à en parler avec le sang-froid nécessaire. Je n'ai pas cette gêne, je suis plutôt fier de montrer le chemin que j'ai parcouru, et ma colère s'est transformée en une énergie que j'utilise à défendre mes semblables. Moi qui étais un moins que rien, un être que je méprisais au point de vouloir le supprimer, je connais enfin le bonheur de vivre. J'ai une famille et des amis que j'aime et qui m'aiment. En outre, je suis aujourd'hui non seulement intervenant dans une maison d'hébergement, mais aussi président de l'AGIDD-SMQ[2], une association qui regroupe plus de 40 organismes québécois voués à la défense des droits des personnes qui vivent ou qui ont vécu un problème de santé mentale. En plus de donner des conférences, j'anime des sessions de formation, je suis membre du comité consultatif en santé mentale de la Régie régionale de Lanaudière et je représente mes semblables aux audiences publiques et aux commissions parlementaires.

Dernièrement, je recevais dans mon bureau de la maison d'hébergement alternative où je travaille la mère d'un pensionnaire arrivé la veille. Nerveuse sur sa chaise, elle cherchait à être rassurée sur la qualité des soins que recevrait son fils dans notre maison. Elle était désespérée, pensant que son fils était irrécupérable. Elle m'a demandé quels diplômes me qualifiaient pour cet emploi. Je lui ai répondu le plus calmement du monde: «Madame, je n'en ai aucun. Ma seule qualification est d'être schizophrène.» Je vous laisse imaginer la tête de mon interlocutrice en réaction à cette révélation. Sa panique a toutefois été de courte durée car je me suis hâté d'ajouter que, si je n'avais pas fait d'études universitaires, j'avais toutefois une formation en intervention et en relation d'aide. Je lui ai également précisé que, bien qu'ayant été schizophrène, je ne l'étais plus, et que si j'avais réussi à me tirer de cet état, j'étais bien placé pour aider son fils à retrouver le chemin du bien-être psychologique. Je lui ai aussi dit que le réseau alternatif, composé d'organismes communautaires soutenus largement par le travail de bénévoles

2. Association des groupes d'intervention en défense de droits en santé mentale du Québec.

ayant connu des troubles mentaux ou en voie de rétablissement, faisait preuve d'un dévouement remarquable envers ceux qui se trouvaient encore en difficulté. Elle a terminé notre rencontre en disant que cette formule lui paraissait tout indiquée pour son fils. Je l'ai vue quitter mon bureau d'un pas presque léger, d'un pas qu'elle n'avait sûrement pas eu depuis la survenue de ces terribles troubles de santé mentale qui s'étaient abattus sur son fils quelques années auparavant.

Il m'apparaît primordial, maintenant que j'assiste à l'épanouissement de ma vie émotive et de mes capacités intellectuelles après trente ans de dérive, de parler du cheminement qui m'a amené là où je suis, car ma vie n'aura de sens que si je me voue à indiquer à mes semblables les voies qui mènent à la santé mentale. Pour retracer comment s'est effectuée ma remontée vers une santé que j'ai appris à gérer et que je dois continuer à entretenir, je vous invite à suivre le difficile itinéraire qui a été le mien.

«J'avais envie de mordre, de crier,
je ne pouvais plus penser...»

L'escalade des difficultés

On ne peut pas dire que ma vie ait commencé du bon pied. Quand ma mère est devenue enceinte de moi, elle avait déjà trois grands enfants. Elle ne supportait pas l'idée de se remettre à prendre soin d'un bébé alors qu'elle en avait dépassé l'âge. Elle ne me voulait pas et a tout fait pour me perdre. Je suis né bleu, le cordon ombilical enroulé autour du cou comme si, coopératif, j'avais tenté à ma manière de mettre fin dès le premier jour à ma présence peu désirée sur terre. Du plus loin que je me souvienne, j'ai eu la conviction que mon arrivée en ce monde était une erreur, que je n'avais pas ma place ici-bas.

Ma mère, à qui j'ai pardonné ces moments et avec qui je m'entends bien aujourd'hui, n'avait pas de temps à me consacrer: les lourdes tâches qu'elle assumait à la maison l'occupaient déjà suffisamment. Si ma sœur aînée ne m'avait pas pris en charge, je ne sais comment j'aurais pu passer à travers ces années douloureuses. Car en plus de ne pas être désiré, j'étais vite devenu turbulent. Je multipliais les mauvais coups pour attirer l'attention. Je volais, je mettais le feu aux timbres-primes que ma mère accumulait dans le but de les échanger contre des cadeaux, je faisais tout pour qu'elle me regarde, qu'elle prenne le temps de me punir. Mon comportement et ma réputation faisaient de moi la bête noire des autres mères, qui me rejetaient elles aussi. Mais ma mère me protégeait quand les voisins venaient se plaindre de moi.

À six ou sept ans, j'ai commencé à faire des tentatives de suicide. Afin qu'elle me tienne compagnie dans mon désespoir, je m'étais inventé une amie imaginaire qui était pour moi aussi réelle et palpable que mes autres amis en chair et en os. Pendant de nombreuses années, elle a été ma confidente. Je ne pouvais me douter alors qu'elle serait le premier des fantômes, pas toujours bienvenus, qui me hanteraient plus tard.

De son côté, mon père s'occupait de moi, mais à sa manière. C'était un bourreau de travail, et ses responsabilités le retenaient fréquemment tard au bureau. Il n'était pas souvent à la maison. Il tenait néanmoins à ce que je réussisse bien en classe et supervisait mes devoirs. Ses méthodes n'étaient pas toujours très pédagogiques. Combien de fois il m'a donné des coups cuisants de cette épaisse lanière de caoutchouc que l'on appelait «la strappe» jusqu'à ce que je pleure, si je ne progressais pas aussi vite qu'il le désirait ou si je m'étais fait remarquer par une nouvelle bêtise. Mais pour moi, c'était là une forme d'attention, de cette attention que je voulais obtenir à tout prix. Aussi, quand mon père est tombé gravement malade et qu'il est mort lorsque j'avais dix ans, j'ai vécu cette perte comme une désertion de la part de cet homme qui s'était occupé jusque-là de mon éducation.

À sa mort, ma mère s'est trouvée démunie. Elle tenait à ce que l'être révolté que j'étais reçoive une bonne éducation. La bonne éducation, c'était important pour elle. Il fallait que j'apprenne à me comporter, à être bien mis. Elle n'avait que moi à la maison à ce moment-là: mes deux sœurs étaient mariées et mon frère, engagé dans les forces armées canadiennes, vivait en Allemagne. Elle sentait le besoin de trouver un homme pour me prendre en main. Elle n'envisageait toutefois pas de se remarier, parce que l'idée qu'un nouveau mari puisse lever la main sur moi lui était intolérable. C'est alors qu'elle a décidé de me confier à l'orphelinat pour que les frères prennent soin de moi. On m'y a accepté parce que j'étais orphelin de père.

Entre-temps, un cousin, très proche de la famille, avait proposé de me prendre chez lui pendant les vacances d'été. Personne n'aurait pu soupçonner que cet homme, qui était en âge d'être mon père et qui avait un fils de mon âge, profiterait de la situation pour me violer. J'avais déjà de la difficulté à vivre, et voilà qu'en plus on me volait mon âme et le peu d'intégrité qui me restait. J'ai perdu à ce moment-là toute foi dans les êtres humains.

L'orphelinat n'allait pas être tellement plus sûr. On sait depuis ce qui se passait dans plusieurs de ces établissements. J'étais par contre averti et prêt à me défendre, je n'ai donc pas été harcelé longtemps. Mais les cris de détresse des jeunes garçons plus faibles que moi soumis à des attouchements dans les douches m'ébranlaient au plus profond de l'âme, même si nous, les plus forts, faisions tout notre possible pour empêcher ces situations.

L'éducation que nous recevions n'était pas meilleure. À l'exception de quelques frères qui faisaient preuve d'une réelle bonté, nous étions élevés par des hommes qui ne se privaient pas de nous punir. Moi qui étais rebelle, je recevais souvent des coups. Je trouvais difficile de voir que des représentants de Dieu puissent me traiter ainsi. Je m'en plaignais à ma mère, qui ne croyait pas que les frères puissent nous maltraiter, et je la suppliais de me sortir de là. Je lui en voulais de ne pas me croire. Un jour, elle a surpris un frère à me cogner la tête contre un mur parce que j'avais mouillé mes souliers. Choquée, elle avait été voir un avocat pour envoyer une lettre de protestation. Quelques mois plus tard, ma sœur obtenait de ma mère de me faire sortir de là.

Ma sœur Gisèle s'était mis dans la tête de s'occuper de mes études. Sur son insistance, Lise, mon autre sœur, qui travaillait comme secrétaire dans une école secondaire où elle était appréciée de tous, avait accepté de me prendre sous son aile. C'était oublier que je venais de passer plusieurs années dans un établissement où nous étions très encadrés et que j'arrivais maintenant dans une institution où régnait la liberté la plus totale. À peine débarqué dans cette nouvelle école, j'avais entendu un élève insulter un professeur, qui s'était laissé faire. J'ai dès lors pris cet élève comme modèle: j'avais découvert, moi qui avais été opprimé, qu'il était possible de se défouler sur les représentants de l'autorité sans qu'on me dise quoi que ce soit. Pourquoi m'en serais-je privé? Toutes mes frustrations antérieures trouvaient un débouché et explosaient. Débridée, ma nouvelle délinquance me faisait du bien, elle me procurait du pouvoir, moi qui n'en avais jamais eu. J'aimais ce pouvoir. La présence de ma sœur, qui aurait pu calmer ma rage, ne faisait qu'aggraver les choses. Qui aurait osé se plaindre du comportement du petit frère d'un membre du personnel estimé de tous? Mais même si elle me donnait quelque satisfaction, cette insolence n'arrivait pas à venir à bout du désarroi qui m'habitait depuis l'enfance.

Mes problèmes de santé mentale se sont manifestés de façon évidente vers l'âge de 16 ou 17 ans. J'avais commencé à avoir des hallucinations. Une ombre noire avait pris l'habitude de me suivre à distance et de me dévisager quand je me retournais. Des mots et des bruits inattendus me surprenaient sans que je puisse savoir d'où ils provenaient. J'avais peur, je souffrais, j'avais envie de crier ma douleur. Heureusement, j'avais découvert que je pouvais me réfugier dans un monde de ma fabrication où je me sentais bien. Je le faisais quand ma souffrance était trop grande, quand j'étais convaincu que je ne valais rien. C'était volontaire. Plus la souffrance augmentait, plus mon esprit s'égarait. C'était pour moi l'ultime retraite de l'âme, le dernier refuge de la douleur.

Ce système fonctionnait relativement bien. Je m'inventais des histoires, j'incarnais différents personnages que j'aimais et à qui je donnais le droit d'avoir les qualités que j'aurais voulu posséder. Plusieurs de ces personnages étaient élégants et avaient du panache. Je m'habillais en conséquence, différemment pour chacun d'entre eux. Quand le personnage de mon invention, généralement beau et intelligent, prenait ma relève, je ne m'appartenais plus. Mais les personnages qui me soutenaient finissaient toujours pas s'essouffler, et la dépression que j'avais momentanément réussi à écarter revenait me traquer avec une force nouvelle. L'égarement mental est un état difficile sur le plan physique. Quand on en sort, on a l'impression d'être vidé, épuisé, qu'un bulldozer nous est passé sur le corps. Qui aurait pu se douter que je souffrais autant? Je ne parlais à personne de ces fuites dans un monde parallèle. Est-ce que je pouvais me permettre qu'on se mette à soupçonner mon état? Je craignais l'internement. J'avais vu à la télévision un reportage sur la schizophrénie où l'on parlait du poète Émile Nelligan, qui a fini sa vie à l'asile psychiatrique, et j'avais peur de subir le même sort.

J'avais progressivement commencé à être délinquant. Je ne suis pas fier de cet épisode de ma vie; je vous épargnerai donc les détails. J'avais commencé à me droguer, ce qui ne faisait rien pour arranger le déséquilibre mental qui était déjà le mien avant que je me lance dans la consommation de ces substances. Les abus sexuels dont j'avais été victime plus jeune me hantaient toujours. J'étais terrifié par l'idée que je pourrais devenir moi-même homosexuel. Il devenait important de prouver ma virilité auprès des femmes. Ma vie sexuelle est alors devenue débridée, le nombre de conquêtes devenant une façon de me rassurer.

Le mariage a mis fin à ma débauche sexuelle. Celle qui était devenue ma femme n'était pas affectueuse et ne me disait jamais qu'elle m'aimait, mais nous nous étions habitués à vivre ensemble. Elle avait trouvé en moi un partenaire désireux de plaire, qu'elle savait rendre docile. C'est elle qui avait voulu le mariage, je m'étais vu incapable de dire non. Comme je pensais que je ne méritais pas d'être aimé, je trouvais normal qu'on ne m'aime pas plus que cela. J'étais soumis, et plus que jamais je me réfugiais dans mon monde, qui arrivait à me procurer par moments la sérénité dont j'avais grandement besoin.

Je réussissais quand même à travailler. J'étais camionneur pour un courtier en épicerie et je livrais des produits à de grandes chaînes d'alimentation. Je pouvais, sans que cela paraisse, travailler aux heures qui me convenaient, l'important étant que les produits finissent par arriver au magasin. Cette liberté dans l'organisation de mes heures de travail me permettait de me terrer quand l'angoisse me paralysait. J'arrivais cependant à faire correctement mon travail malgré mes absences, ma consommation de drogue et d'alcool, et l'impression que j'avais d'être un automate. J'avais une voiture, un bon logement, deux enfants que j'aimais mais qui souffraient des hauts et des bas de ma vie émotive et de notre vie de couple. Puis est survenu l'accident de travail, une entorse lombaire faite en soulevant des caisses, qui m'a privé de l'usage de mes jambes jusqu'à ce que je sois opéré. Par la suite, incapable de marcher normalement, j'ai dû rester à la maison pendant quatre ans.

Je ne pouvais donc plus travailler. Être camionneur, c'était ma vie. Je n'acceptais pas l'humiliation de mon handicap. Ma femme, souffrant comme moi de mes sautes d'humeur, des problèmes financiers occasionnés par mon accident et des difficultés de notre vie de couple, s'est défoulée en me rabaissant. J'étais une proie facile, j'avais une confiance naïve, une foi aveugle en ceux qui me faisaient gober ce qu'ils voulaient. Les propos qu'elle me tenait ne faisaient que confirmer la piètre opinion que j'avais de moi-même. Pourquoi ai-je cru ceux qui me rabaissaient? Je participais, sans m'en rendre compte, à creuser l'enfer dans lequel je sombrais de plus en plus. Par ailleurs, les maux de dos insupportables occasionnés par mon accident rendaient nos rapports sexuels, notre seul terrain d'entente, quasi impossibles. Ma femme a fini par se lasser et par prendre un amant. Pour moi, le mariage était sacré et la fidélité se trouvait au centre de l'idée que je me faisais de cette union. La dernière valeur à laquelle je croyais s'écroulait.

Fou de rage et de panique, j'ai perdu la maîtrise de moi. Cette fois, il ne m'a plus été possible de dissimuler les troubles mentaux qui m'habitaient. Mes colères de frustration se transformaient en crises qui partaient des pieds et montaient en moi comme un volcan pour éclater dans le cerveau. Quand je perdais la tête, un monstre se mettait à me gruger et prenait les rênes de mon âme et de mon corps pour tout détruire sur son passage. J'avais envie de mordre, de crier, je ne pouvais plus penser, je me sentais devenir difforme, ma tête devenait lourde, j'étais agressé par des rayons lumineux. Des idées m'assaillaient de toute part sans que j'aie le temps de les saisir, et ces pensées se mettaient à tourner de façon infernale, comme des hamsters condamnés à courir dans une roue qui ne s'arrête pas. Au secours! À l'aide! Plus les gens me parlaient, moins je les entendais. Je ne sentais plus rien. Il devenait impossible de leur dire que je brûlais à l'intérieur, que je partais. Le seul fait qu'on me touche était perçu comme une agression à laquelle je répondais par l'agression. Ces crises culminaient en des absences qui pouvaient durer plusieurs jours. Qu'ai-je fait pendant ces absences? Ai-je été violent? Où ai-je erré en parlant de façon incohérente? Tout ce que je sais, c'est que j'avais fini par être, aux yeux de tous, un déchaîné, un dangereux aliéné mûr pour la psychiatrie. Ma femme avait fini par s'enfuir avec les enfants, et j'ai perdu, faute de me présenter, le nouvel emploi que je venais de me trouver. J'avais 32 ans, je voulais tuer, je voulais mourir. Ce sont mes tentatives de suicide qui ont motivé mes proches à m'amener à l'hôpital.

Commentaires

On peut comprendre que la succession d'expériences éprouvantes qui se sont abattues sur Luc l'aient progressivement poussé à se réfugier dans un monde parallèle et aient favorisé l'apparition de comportements psychotiques. D'autres plus forts que lui auraient peut-être pu passer à travers de tels événements sans glisser vers l'abysse des problèmes de santé mentale. Mais Luc se caractérise justement par une sensibilité et une intensité émotive extrêmes: ces événements l'ont heurté de plein fouet, l'ont déstabilisé et en ont fait une proie tout indiquée pour l'émergence de troubles mentaux.

En ce sens, Luc est-il un cas type ou un cas isolé? Les autres qui souffrent de troubles mentaux ont-ils eux aussi été victimes d'événements qui les ont brisés au cours de leur enfance ou de leur adolescence? La consultation de nombreux ouvrages semble indiquer qu'entre 34 % et 81 % d'entre eux, selon les sources, ont été exposés à des expériences traumatisantes. Ces écarts sont probablement attribuables à la conception différente qu'ont les auteurs de ces ouvrages de ce qu'est une expérience traumatisante. Le président de l'Association des psychiatres du Québec, Yves Lamontagne, est d'ailleurs le premier à admettre qu'un grand nombre des personnes admises en psychiatrie ont eu des enfances horribles[1]. Toutefois, cela ne semble pas toujours être le cas.

Mais on sait que les victimes de viol ont cinq fois plus de chances de souffrir ultérieurement de problèmes psychologiques graves que ceux qui n'ont jamais eu à subir de violence sexuelle. La prévalence de la schizophrénie est aussi cinq fois plus élevée dans les classes défavorisées que dans les classes favorisées. On constate par ailleurs que les enfants séparés de leurs parents ou placés dans des établissements sont plus souvent touchés par la schizophrénie que les autres. On sait également que l'augmentation du stress influence grandement le déclenchement des épisodes psychotiques. Les rechutes chez les schizophrènes semblent, en outre, fortement liées à l'intensité de l'expression de sentiments négatifs à l'intérieur de la famille.

Mais qu'en est-il de ceux qui ne semblent avoir été exposés ni à des viols, ni à des deuils, ni à des abus apparents de quelque nature que ce soit? Qu'en est-il de ceux qui proviennent de familles au-dessus de tout soupçon? Loin de vouloir prouver un

1. *The Gazette*, Montréal, 25 février 1996, page A4.

obligatoire lien de cause à effet, nous nous devons d'inclure dans la liste d'autres expériences personnelles susceptibles de déclencher la crise d'identité existentielle qui paraît importante dans l'apparition de la schizophrénie. Que dire des difficultés d'adaptation à l'école ou au travail qu'éprouvent de nombreux jeunes adultes peu sûrs d'eux-mêmes ou peu équipés pour faire face à un monde moins douillet que celui auquel ils ont été habitués? Que dire des incompatibilités de caractères et d'aspirations bien normales, même dans une famille bien intentionnée, qui font qu'un enfant ayant des visées différentes de celles de sa famille ne se sent pas compris ni accepté tel qu'il est? Que dire aussi des enfants doués d'une trop grande sensibilité qui n'interprètent pas correctement les intentions des personnes qui les entourent? Les expériences émotives sont sûrement marquantes pour les personnes qui souffrent de troubles psychotiques, puisque celles-ci affirment que l'anxiété, le désespoir, l'impuissance, le manque d'estime de soi, l'isolement et le rejet social ont, à leurs yeux, plus d'importance que les symptômes de la psychose[2].

Quel que soit le cas, il apparaît contre-productif d'accuser les parents de l'état mental de leurs enfants, comme cela arrivait souvent il y a quelques années. D'une part, il est possible qu'ils n'aient rien à voir avec les troubles éprouvés par leurs enfants. D'autre part, les parents qui ont quelque chose à se reprocher supportent mal d'être tenus pour responsables des troubles mentaux ressentis par leur fils ou leur fille, encore moins si on leur dit que ce tort est irréparable. C'est une réaction compréhensible et très humaine. C'est l'une des raisons pour lesquelles les autorités médicales leur disent, à eux comme aux autres, que les troubles mentaux relèvent d'une maladie indépendante du contexte social et familial.

Se démarquant de la position des autorités médicales, les membres des groupes affiliés au réseau alternatif de santé mentale estiment plutôt que la schizophrénie, de même que divers

2. Peter Breggin, M. D. *Toxic Psychiatry*, New York, St. Martin's Press, 1991.

autres troubles psychotiques, aurait avantage à être considérée non pas comme une maladie, mais comme la manifestation d'une crise existentielle et spirituelle. Celle-ci serait liée à l'émergence de l'identité adulte chez des jeunes gens caractérisés par une certaine intensité. Cette crise pourrait fort bien être temporaire, mais elle perdure souvent parce que personne ne sait la désamorcer. Voilà une hypothèse qui vaudrait la peine d'être explorée.

Il faut dire que les tentatives de traiter les troubles psychotiques par des thérapies fondées sur la psychologie, et c'est particulièrement vrai pour la schizophrénie, ont rarement donné des résultats satisfaisants malgré l'investissement quelquefois surhumain de thérapeutes compréhensifs et de familles bienveillantes. Mais si l'individu ne pouvait être traité efficacement, peut-être était-ce parce que le soutien social n'était pas assez étendu pour suffire à la tâche ou parce que la personne visée n'était pas toujours la seule en cause et qu'il s'avérait nécessaire d'examiner aussi son environnement social et familial. Cela aurait fait beaucoup de monde à motiver ou à traiter, une situation bien difficile à gérer.

Aussi, quand le concept de maladie mentale est apparu, beaucoup de gens ont été soulagés. Personne n'avait plus de torts, ni l'individu, ni sa famille, ni la société. Seule restait la prétendue tare physique, la maladie salvatrice. On comprend dans ces circonstances la popularité soudaine de la psychiatrie biomédicale, qui déculpabilisait tout le monde et arrivait à point avec ses solutions miracle. Les premiers adeptes de cette nouvelle vision des choses ont été les parents et les proches des personnes souffrant de ces troubles psychiatriques. Reconnaissants d'avoir été exonérés, ils ont aussi été soulagés de voir qu'on disposait enfin d'un moyen de neutraliser leurs rejetons. C'était là une réaction que personne ne pourra leur reprocher.

Cette nouvelle philosophie a par contre eu l'inconvénient de faire oublier trop rapidement la contribution des traumatismes psychologiques dans l'apparition de troubles mentaux. Pourtant, dans la plupart des manuels de psychiatrie, on affirme encore que les enfants qui ont des problèmes émotifs ont de grandes chances de continuer à en avoir plus tard. Quand on aborde les chapitres consacrés à l'adulte, les problèmes émotifs se sont curieusement transformés en maladies. Imaginons les sentiments de solitude et d'abandon qu'éprouvent les personnes souffrant de troubles mentaux qui ont eu une enfance ou une adolescence difficile quand on leur affirme que leur état actuel n'a rien à voir avec leur passé.

Mais de quel trouble mental souffrait Luc? Souffrait-il de dépression majeure, comme l'ont pensé au début les psychiatres, ou de trouble de la personnalité limite, dépendante ou paranoïde, comme l'ont pensé d'autres psychiatres par la suite? Ou aurait-il été diagnostiqué comme présentant certains signes d'un trouble que les psychiatres nomment schizophrénie si ceux-ci s'étaient rendu compte qu'il avait des hallucinations auditives et visuelles depuis plusieurs années, qu'il lui arrivait d'errer pendant des jours dans les rues en insultant son ombre et en hurlant pour qu'elle cesse de le suivre, et qu'il lui arrivait de fouiller dans les assiettes des clients attablés au restaurant pour se nourrir?

Peut-être Luc présentait-il un mélange de plusieurs diagnostics, tels que les psychiatres les conçoivent. En fait, est-il simple pour eux d'établir un diagnostic précis et définitif? Environ tous les dix ans, les critères pour définir les troubles mentaux sont modifiés de façon importante. Ces changements illustrent la difficulté de saisir avec précision les diverses manifestations des problèmes de santé mentale. Les frontières entre les divers troubles mentaux sont également difficiles à délimiter parce qu'elles se chevauchent. Ces troubles présentent en effet des variations infinies, comme si chaque personne avait sa façon propre d'être dans un profond état de trouble mental, celui-ci étant modulé par les traits de caractère de la personne en question, par l'influence de son milieu et par l'intensité de son désarroi. Les manifestations de ces troubles sont donc probablement aussi complexes et variées qu'il existe de personnalités et de façons d'exprimer sa détresse. Ces manifestations ont aussi la propriété de varier dans le temps. L'établissement d'un diagnostic n'est donc pas chose aisée et ne constitue en aucun cas un processus scientifique sûr et immuable. Encore faut-il se demander si ces étiquettes qu'on appose sur des êtres humains en difficulté ont une réelle pertinence et une réelle utilité. Nous verrons plus loin pourquoi il est possible d'en douter.

Comme beaucoup d'autres qui ont souffert de troubles mentaux, Luc présentait donc un cocktail de symptômes de différents troubles de cette nature. C'est aussi ce qui rend son cas intéressant. Il suffit d'interroger un grand nombre de personnes ayant souffert de troubles mentaux pour constater qu'elles ont souvent reçu successivement les étiquettes psychiatriques les plus diverses. Comme beaucoup d'autres aussi, Luc a souvent noyé sa détresse en s'adonnant à la consommation d'alcool et de drogue. Comme beaucoup de jeunes sans pouvoir sur leur vie, il s'est défoulé dans la délinquance. En ce sens, Luc est représentatif d'un grand nombre de personnes chez qui troubles mentaux, alcoolisme, toxicomanie et comportements antisociaux vont de pair. Le fait qu'il ait réussi à s'en sortir et qu'il ne soit pas le seul donne un intérêt accru et une portée bien universelle à son témoignage.

«Je me sentais humilié au plus haut point qu'on me ligote comme un chevreuil abattu sur le toit d'une automobile.»

L'hospitalisation

J'ai passé mon enfance près du quartier de l'hôpital psychiatrique Saint-Jean-de-Dieu, mieux connu aujourd'hui sous le nom de Louis-Hippolyte-Lafontaine. Tout jeune, quand nous faisions les fous, mes amis et moi, nous nous plaisions à nous insulter l'un l'autre sans malice en pointant ce grand bâtiment gris et en disant: «Toi, tu mériterais d'être enfermé là-bas!» Cela nous faisait bien rire. Je n'aurais jamais pensé me retrouver un jour, moi, Luc Vigneault, entre les murs d'une telle institution. Arriver à l'hôpital, cela a été l'humiliation suprême. En même temps, je nourrissais l'espoir qu'on puisse enfin réussir à me faire descendre de la monstrueuse machine dans laquelle j'étais embarqué et sur laquelle je n'avais aucun contrôle.

J'ai été admis à l'hôpital après une évaluation psychiatrique. Il n'y avait pas de lit libre dans l'aile psychiatrique. J'ai donc été pris en charge par un service de surveillance privé. On m'a enlevé tous mes effets personnels et enfilé une jaquette bleue avant de m'enfermer dans une chambre d'hôpital. Des gardiens responsables de ma surveillance 24 heures sur 24 se succédaient pour me tenir compagnie. Ils me suivaient partout, y compris aux toilettes ou à la douche, de peur, probablement, que je mette fin à mes jours. Ces gardiens ne me parlaient pas. À leurs yeux, j'étais fou: qu'auraient-ils pu me dire? J'étais agité intérieurement, et les médicaments n'arrivaient pas à avoir raison de mon trouble. Je me sentais enragé comme une bête sauvage, je voulais pleurer, m'exprimer. Quand j'essayais de dormir, mes gardiens trompaient l'ennui en ouvrant la porte pour parler à leurs collègues dans le couloir, ce qui dérangeait mon sommeil. Je n'arrivais pas à trouver un moment de paix. Je n'avais aucune idée du diagnostic que j'avais reçu, encore moins de la nature et du but du traitement qu'on allait m'appliquer, ni des risques qu'il comportait.

J'avais besoin de fumer pour soulager mon angoisse. Sur l'étage, il était interdit de fumer. Il semblait aussi hors de question qu'on me laisse aller au fumoir, même accompagné. Mes gardiens n'avaient rien trouvé de mieux, pour me permettre de fumer sans que je puisse m'enfuir, que de m'amener dehors en plein hiver, nu-pieds sur le ciment gelé du quai d'arrivée des ambulances et simplement vêtu d'une jaquette d'hôpital qu'il était impossible de fermer à l'arrière. Il faut dire que j'avais essayé de m'enfuir à plusieurs reprises. Chaque fois, on m'avait rattrapé et donné des injections qui me plongeaient dans un abrutissement total.

Un jour, une frêle dame est entrée dans ma chambre pour m'annoncer qu'elle serait ma gardienne pour la journée. J'étais grand et fort, et elle paraissait effrayée. Elle m'a dit d'une voix suppliante: «Je vous en prie, ne m'attaquez pas, j'ai besoin de travailler pour gagner ma vie.» Je l'ai trouvée sympathique. Je l'ai donc rassurée en lui disant qu'elle n'avait rien à craindre de moi, et j'ai passé avec elle la meilleure journée de mon hospitalisation.

Après cet isolement pendant lequel je ne voyais pas en quoi j'avais été traité et qui avait duré un peu plus d'une semaine, on m'a remis mes vêtements, à l'exception de ma ceinture, et j'ai été admis dans l'aile psychiatrique. J'étais terrifié à l'idée de me retrouver avec des fous. J'avais, comme tout le monde, associé les hôpitaux psychiatriques aux psychopathes et aux débiles. Cela a été tout un choc quand j'ai entendu la porte de l'aile se verrouiller automatiquement derrière moi. Je n'arrivais pas à croire que je faisais maintenant partie de ces fous. Je me sentais aussi petit qu'une fourmi, et j'avais très peur de ceux avec qui on me mettait, peur qu'ils me sautent au visage, peur qu'ils me tuent pendant mon sommeil. Mais au bout de quelques jours, j'avais compris que ces gens que je méprisais auparavant étaient des gens comme vous et moi, provenant de toutes les couches de la société. Il se trouvait parmi eux des itinérants, des gens ordinaires, des cadres, tous des êtres sensibles qui passaient là une difficile période de leur vie. Comme les gens normaux, je les voyais manger, avoir des attentes, des buts, des désirs.

L'aile se composait de quatorze chambres comportant chacune deux lits. Il y avait aussi une pièce où l'on pouvait écouter de la musique, une salle de télévision, une salle de jeu et une salle de contention. Le poste de garde, semblable à un aquarium, était situé au milieu du couloir central. On m'a mis dans une chambre avec un gars qui m'a tout de suite annoncé qu'il était maniaco-dépressif. Il avait l'intention d'acheter le club des Yankees de New York. On a sympathisé, on souffrait tous les deux. J'avais trouvé quelqu'un qui me comprenait, quelqu'un qui avait vécu les mêmes problèmes que moi. C'était presque rassurant. Nous sommes vite devenus comme deux frères solidaires en tout. S'il avait de la visite ou si j'en avais, nous disions: «On a de la visite.» Avec lui, je riais et je pleurais comme jamais je n'avais été capable de le faire. J'avais aussi l'impression que les médicaments qu'on me donnait me rendaient euphorique, comme si j'avais fumé de la marijuana.

Entre les personnes hospitalisées, les liens de complicité étaient souvent forts, et on se portait mutuellement secours. Une de ces personnes, une jeune femme, se détestait tellement qu'elle se frappait les mains et les pieds sur les murs pour se les casser. Un autre se masturbait continuellement. Une troisième avait des accès de paranoïa. Elle se croyait pourchassée par un dangereux motard et se mettait parfois à courir en hurlant de terreur. J'avais trouvé le truc pour la calmer. Je lui disais: «Cache-toi dans ta chambre, je vais lui régler son compte.» Après un moment, je rouvrais sa porte et lui disais qu'il était parti, qu'elle pouvait sortir.

Beaucoup de ces personnes hospitalisées dans l'aile psychiatrique semblaient souffrir d'une amnésie volontaire pour oublier leurs souffrances. Pourquoi les médias se complaisent-ils à faire peur à la société quand ils parlent de nous? Pourtant, moi qui ai rencontré au cours de ces dernières années des milliers de personnes ayant été internées, je peux vous assurer que le pourcentage d'entre elles qui sont réellement dangereuses est négligeable.

Les amourettes étaient très fréquentes à l'hôpital. Nous nous accrochions à ces amourettes comme à des béquilles psychologiques ou à une drogue dont nous ne pouvions nous passer. C'est probablement pour cette raison que les manifestations amoureuses étaient interdites dans l'aile psychiatrique. Une dame d'une cinquantaine d'années avait un jour donné un baiser sur la joue d'un autre pensionnaire. Elle avait été mise en punition dans sa chambre. Pour sa part, son compagnon avait été envoyé à l'isoloir. Quand ceux d'entre nous qui étaient mariés recevaient la visite de leur conjoint, ils devaient le voir au parloir et ils n'avaient pas la permission de lui tenir la main ou de l'embrasser. Pourtant, dans certaines institutions et dans certaines résidences, les prisonniers et les personnes âgées disposent maintenant de salles d'intimité. Quand on vit dans l'aile psychiatrique, il n'y a plus d'intimité. Même le temps qu'on a pour se laver est compté. Passé cette limite, un préposé risque d'entrer dans la salle de bain, même s'il est de sexe opposé.

J'étais tombé amoureux d'une fille que l'on disait être schizophrène, agressive et extrêmement dangereuse. Pourtant, dans nos rapports, en aucun moment je ne l'ai sentie agressive ou vraiment anormale. Nous réussissions à nous cacher pour de précieux moments d'intimité. Je ne me rendais pas compte alors que ces amourettes jouaient le rôle de pièces de rapiéçage pour réparer les crevaisons psychologiques dont nous souffrions tous. Mais cela n'empêchait pas l'air de continuer de s'échapper de nos crevaisons.

J'ai toujours eu une voix puissante. Quand je m'exprimais, je parlais fort, ce qui dérangeait souvent les préposés. Cela me causait des ennuis. On me croyait agité alors que je ne l'étais pas nécessairement. Je me souviendrai toujours de ce soir de Noël où, pris par l'angoisse de passer les fêtes aux soins psychiatriques, j'avais téléphoné à ma sœur à partir de la cabine téléphonique du couloir. Je maudissais la vie d'être là et je faisais part à ma sœur de ma frustration et de ma colère en parlant fort. Les préposés ont cru que je perdais la maîtrise de moi et m'ont ordonné de rentrer dans ma chambre. Comme je ne voulais pas abandonner la voix rassurante de ma sœur, j'ai refusé. Ils ont déclenché ce qu'ils appellent le code vert: répondant à l'appel lancé sur l'interphone, une douzaine de préposés, comme une vraie équipe de football, a surgi de partout pour m'attraper et me traîner en contention. J'étais terrorisé, je hurlais comme une bête traquée. Depuis mon viol, à l'âge de onze ans, j'avais généralisé ma peur à tous les hommes, et cette attaque réveillait en moi des souvenirs intolérables. J'ai donc fait appel à un personnage semblable à *Terminator* pour qu'il affronte mes opposants à ma place. J'ai ainsi trouvé une force suffisante pour leur résister: il leur a fallu près de vingt minutes pour me faire avancer de dix mètres.

Moi qui voulais être compris et écouté, on m'a couché et attaché sur un lit. Je me sentais humilié au plus haut point qu'on me ligote comme un chevreuil abattu sur le toit d'une automobile. Comme je me débattais, on m'a fait une piqûre qui m'a plongé dans un semi-coma pendant près de quatre heures. Quand j'ai commencé à m'éveiller, ils sont venus m'en faire une autre. J'avais tellement mal à l'âme qu'aucune douleur physique ne pouvait m'atteindre. Trois fois j'ai brisé mes attaches, trois fois on m'a fait une injection. Je leur disais que ce n'était pas en faisant de moi un légume qu'ils m'aideraient à m'en sortir.

Lors de cette bagarre, j'avais été brutalisé. Le médecin généraliste que j'avais consulté plusieurs semaines avant mon hospitalisation et qui venait me voir régulièrement avait même cru bon de faire un rapport à ce sujet. Pendant la bataille, un des préposés de l'aile avait toutefois tenté de me venir en aide et de calmer ceux qui me rudoyaient. Plus tard, il m'a avoué qu'il n'était pas d'accord avec ces façons de faire et qu'il ne comprenait pas qu'on puisse malmener ainsi des patients. J'avais néanmoins fait mal à quatre préposés. Quand je m'en suis aperçu, j'en ai été sincèrement peiné. La seule idée de faire mal à quelqu'un me répugne. J'avais vraiment peur de blesser quelqu'un de nouveau. J'ai donc appris à demander des calmants quand je sentais venir une crise, puisque c'était la seule solution que m'offrait la psychiatrie.

Cet épisode m'avait traumatisé, et je n'étais pas le seul à l'être. Nous avions tous peur d'être mis en contention. Quand j'étais à l'orphelinat, je ne comprenais pas que des représentants de Dieu puissent nous battre et nous mettre en isolement. La seule idée de passer devant le bureau du frère directeur nous terrifiait. Le même scénario se répétait maintenant que j'étais adulte. Je ne comprenais pas et ne comprends toujours pas pourquoi des professionnels de la santé fiers de leurs diplômes permettaient qu'on nous batte et qu'on nous attache sur notre lit. Nous avions tous peur du psychiatre, et la seule idée de passer devant la salle de contention nous faisait frémir. Pour les mêmes raisons, je constate encore aujourd'hui que beaucoup de mes semblables éprouvent souvent une crainte irrationnelle d'aller voir leur médecin de famille, même pour un simple mal de tête, de peur d'être happés à nouveau par le système.

À la suite de cet incident, on a commencé à me donner des médicaments plus puissants. Ces médicaments m'empêchaient de me réfugier dans mon monde imaginaire, et celui-ci me manquait terriblement. Ils gelaient mes émotions, me rendaient semblable à une loque. Comme tout le monde, je faisais la file plusieurs fois par jour devant l'«aquarium» pour recevoir mes pilules. J'avais l'impression d'être un mort vivant, je n'avais plus de réactions.

On me disait «va manger», je mangeais; on me disait «va te laver», je me lavais. J'étais un peu comme une bête dans un troupeau. J'étais complètement perdu. Par moments on m'aurait fait n'importe quoi et j'aurais dit «merci beaucoup». Des idées non sollicitées s'abattaient sur moi par milliers, j'étais envahi par des pensées qui ne m'appartenaient pas, il me devenait impossible de me concentrer, d'avoir de la mémoire. Avec ces médicaments, j'hallucinais pour de bon, l'enfer s'intensifiait dans ma tête. Mes capacités intellectuelles semblaient sérieusement se détériorer.

J'avais aussi commencé à avoir des tremblements, ma langue devenait épaisse et des croûtes avaient fait leur apparition autour de mes lèvres. Pour nous décoller les lèvres, on nous donnait de la vaseline. Je m'étais mis, comme les autres, à avoir une envie de bouger difficile à réprimer. On tournait donc en rond dans le couloir, on marchait sans arrêt, même dans nos chambres. Je pensais que, cette fois-ci, j'étais vraiment devenu fou. On nous disait d'arrêter en nous menaçant de nous mettre en isolement si on n'obéissait pas. Alors on s'asseyait, mais nos jambes continuaient de bouger, la langue nous sortait de la bouche pour s'agiter dans tous les sens, nos mâchoires se mettaient à glisser de gauche à droite. Si on bougeait encore, on nous attachait sur notre lit.

Le seul soulagement que je trouvais venait des calmants que je pouvais recevoir sur demande. Avant mon hospitalisation, j'avais longtemps allégé ma souffrance avec de la drogue et de l'alcool. Les calmants que je pouvais réclamer à volonté à l'hôpital produisaient un effet similaire. J'avalais une de ces pilules, et je me sentais temporairement mieux. Ces médicaments créaient une nouvelle dépendance qui remplaçait la dépendance aux drogues que j'avais développée au cours des années précédentes. Quand l'effet d'une dose s'émoussait, j'entrais en état de manque. Lorsque je voulais des calmants, je me présentais au poste pour obtenir, aux frais de l'État, cette drogue légale prescrite par mon nouveau «pusher», le psychiatre[1].

---

1. Les patients ont dans leur dossier des ordonnances de médicaments à leur donner quand le besoin s'en fait sentir.

La première psychiatre que j'ai vue à l'hôpital était enceinte. Je m'étais dit: «Voilà enfin une personne qui doit avoir des sentiments humains.» J'étais prêt à l'écouter. Je lui ai dit que je souffrais, et elle m'a répondu: «Faites-moi confiance, je vais vous enlever votre souffrance.» J'avais une confiance illimitée en elle et je lui avais promis de ne plus tenter de me suicider si elle réussissait à m'enlever ma souffrance. Je me suis rendu compte au bout de quelques semaines qu'elle ne tenait pas sa promesse. En réalité, elle s'était contentée de me geler avec des médicaments. J'étais de plus convaincu que personne ne pouvait m'aider. Je faisais beaucoup de crises parce que je voulais sortir. Je voulais être traité, pas enfermé, ni drogué. J'étais habité par une panique intense, je criais, on me disait de me taire. J'avais pourtant tellement besoin de parler.

En fait, on m'encourageait à parler. Une fois par jour, pendant une heure, une infirmière ou l'autre venait m'écouter. Au tout début, je ne comprenais pas trop ce qu'elles me voulaient. Ce n'est pas évident, quand on est assommé par des médicaments, de comprendre ce qui se passe. Comme elles changeaient tous les trois jours, je devais chaque fois recommencer mon histoire. C'était particulièrement frustrant, et je ne trouvais pas cela très sérieux. Un jour, j'ai voulu parler de mon viol à l'une d'entre elles. Elle m'a répondu que ce n'était pas important et que je ferais mieux de tout oublier, puis elle est sortie chercher un médicament. Je n'en revenais pas qu'on banalise ainsi mes émotions. C'était peut-être moi le fou, mais cette façon de nier la réalité émotive avait commencé à soulever en moi des doutes sur la compétence de ceux qui me soignaient. J'étais enragé par ce manque d'écoute. Le lendemain, j'ai attendu que cette infirmière soit seule pour la tasser dans un coin et lui dire: «Ce soir je vais te violer.» Elle tremblait comme une feuille. Quand j'ai vu la frayeur escomptée apparaître sur son visage, j'ai desserré mon étreinte en lui disant que j'espérais qu'elle avait eu suffisamment peur pour comprendre ce que j'avais ressenti quand, enfant, j'avais été violé. Curieusement, tout de suite après, mon psychiatre a commencé à s'intéresser à mon viol. Pourquoi avait-il fallu attendre que je fasse un geste aussi déplacé avant qu'on accorde enfin un peu d'attention, qui est d'ailleurs restée superficielle, à la détresse durable occasionnée par ce viol?

Je n'allais toujours pas mieux. Un jour qu'un psychiatre passait comme un courant d'air dans le couloir, je l'ai interpellé pour lui faire part de mon inconfort grandissant. Il m'a répondu, sans vraiment écouter ce que j'avais à lui dire: «C'est bon, on va augmenter les doses.» Il était resté quelques secondes et m'avait à peine regardé. Je ne pouvais imaginer que le spécialiste qui me traitait ne se donne pas la peine de trouver une solution réelle à mes problèmes et se fasse payer pour un travail auquel il accordait si peu d'intérêt. J'étais furieux, et je suis allé faire part de mon indignation à l'infirmière. Elle m'a répondu: «Calmez-vous, sinon on va vous donner une injection.» Décidément, ils avaient réponse à tout.

Il y avait toutefois dans l'aile un préposé dont la compétence était réelle. Il était doux, calme, humain, imposant. Il savait écouter, n'hésitait pas à nous prendre la main pour nous rassurer et se montrait consciencieux quand il nous donnait des soins. Lorsque c'était son tour de prendre la responsabilité de l'aile, nous savions que le calme régnerait. Nous l'aimions et nous nous arrangions pour que tout marche bien quand il était là. Il arrivait avec le sourire, chaleureux et positif. Le jour où j'ai été mis en contention, il n'y était pas. Lorsqu'il a repris son poste le lendemain, il a tenu à me préciser qu'il ne voyait pas pourquoi on punissait, en les attachant, les gens qui souffraient. Les autres préposés avaient par contre du fil à retordre avec nous. On sentait qu'ils ne nous tenaient pas en haute estime et qu'ils voulaient prouver dès leur entrée qu'ils étaient les patrons. Nous étions déterminés à leur rendre la monnaie de leur pièce; ils partaient perdants.

Nous trouvions un réconfort inattendu dans la présence des gens de ménage qui venaient fumer dans notre aile pendant leur pause. Ils y venaient parce c'était la seule unité où l'on avait le droit de fumer. Ce sont eux qui nous aidaient le plus. Ils nous traitaient comme des êtres normaux et savaient nous faire sentir que personne n'est à l'abri de la détresse. Cela nous soulageait. Quand on leur parlait de nos états d'âme, ils nous écoutaient et nous répondaient dans un langage amical et accessible, ce que ne faisaient pas nos psychiatres.

Après un mois et demi d'hospitalisation, j'ai enfin reçu mon congé. Est-ce que j'étais enfin guéri, moi qui me sentais toujours aussi mal et qui ne voyais pas en quoi consistait l'amélioration de mon état? On m'a donné un préavis de 24 heures, bien court pour planifier ma sortie dans la vraie vie, celle où j'avais perdu ma femme, mes enfants, mes amis, mon travail, ma maison et tous mes biens. Puis on m'a rendu au trottoir, abruti par les médicaments. On m'a donné rendez-vous à la clinique externe, et on m'a remis des quantités de pilules pour me maintenir dans cet état de paralysie émotive et intellectuelle qui semblait être le but recherché par le traitement à la fine pointe de la psychiatrie que je recevais.

Commentaires

Luc, donc, a fini par aboutir en psychiatrie après avoir réussi à cacher pendant le longues années l'existence du trouble profond qui l'habitait. Il nous donne ici un aperçu du traitement réservé de nos jours aux gens dans sa condition dans les ailes psychiatriques. Son témoignage, qui dévoile les pratiques de la psychiatrie actuelle, n'est pas tendre à l'égard des psychiatres.

Certains pourraient être portés à discréditer ses déclarations, sous prétexte qu'il s'agit du témoignage d'une personne en proie à des problèmes de santé mentale. Mais alors, comment expliquer que le nombre d'associations œuvrant pour la défense des personnes souffrant de troubles mentaux contre les abus de la psychiatrie soit si élevé? Au Québec seulement, on dénombre plus de 40 de ces associations, qui ne suffisent d'ailleurs pas à la demande. Pourquoi plusieurs de ces associations consacrent-elles le plus clair de leur temps à défendre ces personnes s'il n'y a pas de problème réel? Ce chiffre élevé n'est-il pas l'indice d'un malaise profond? Comment expliquer aussi que les témoignages des responsables de dizaines de groupes d'entraide qui côtoient des milliers de personnes ayant passé par la psychiatrie corroborent ces affirmations?

Pendant longtemps, les enfants victimes de viols et d'attouchements sexuels n'ont pas été pris au sérieux quand ils dénonçaient ceux qui abusaient d'eux, ce qui explique que des situations intolérables aient pu perdurer dans certains orphelinats et pensionnats. Les enfants n'étaient pas jugés crédibles, les pédophiles qui les tourmentaient ayant une situation sociale qui ne permettait pas qu'on mette en doute leur intégrité. Aujourd'hui, on voudrait nous faire croire que les personnes souffrant de troubles mentaux ne sont pas crédibles. On oublie facilement que ces personnes ont souvent, en dehors de leurs crises, toute leur raison. On oublie aussi que les gens que l'on case dans la catégorie des personnes ayant des problèmes mentaux ne sont pas des brutes et des imbéciles. On se souviendra, pour n'en nommer que quelques-uns, d'Émile Nelligan, de Camille Claudel, de Vincent Van Gogh et de Nijinski, que beaucoup d'entre nous auraient été honorés de connaître et qui ont fini leurs jours à l'asile psychiatrique sans que personne ne leur porte secours.

Il serait injuste par contre de loger tous les psychiatres à la même enseigne. Certains ne ménagent ni leur temps ni leurs efforts pour aider ceux qu'ils traitent. La situation que dénoncent les personnes soumises à la psychiatrie actuelle, à savoir la psychiatrie biomédicale, ne doit pas faire oublier non plus que cette psychiatrie constitue à plusieurs égards un progrès par rapport aux pratiques en cours il y a une quarantaine d'années. On se souviendra qu'à cette époque les individus atteints de troubles mentaux étaient parqués dans des asiles d'où ils avaient peu de chances de sortir. L'avènement de la psychiatrie biomédicale et l'administration massive de médicaments ont permis d'ouvrir les portes des asiles et de rendre à la vie extérieure la majorité de ces individus qui, désormais fortement médicamentés, s'avèrent beaucoup moins gênants pour la société. Aujourd'hui, les hospitalisations en aile psychiatrique ou en institution sont réservées aux gens en crise et à ceux que l'on juge irrécupérables. Mais encore aujourd'hui, les hospitalisations consistent souvent en de simples opérations de gardiennage soutenues par divers moyens répressifs, comme la contention, l'isolement et les médicaments, servant à limiter les comportements jugés indésirables.

Il est vrai que les médicaments ont la propriété de neutraliser les manifestations extérieures des troubles mentaux. Pour quiconque observe la situation de l'extérieur, les médicaments semblent accomplir parfaitement leur travail. Cela signifie-t-il pour autant qu'on a enfin trouvé la bonne solution au problème, et que cette solution convient vraiment aux premiers intéressés, c'est-à-dire ceux sur qui elle est appliquée? Néanmoins, comme il ne semble exister aucune autre solution, on ne peut blâmer les autorités médicales de régler ainsi un problème dont personne d'autre ne veut se charger.

Qu'en est-il de ces fameux médicaments qui auraient la propriété de venir à bout des troubles mentaux? Quel que soit le diagnostic, on constate que les personnes traitées en psychiatrie reçoivent rapidement des combinaisons de médicaments souvent identiques. Il y a tout d'abord les calmants destinés à lutter contre l'anxiété, comme le Xanax et le Rivotril, puis les antidépresseurs, dont le Prozac. Viennent ensuite les neuroleptiques utilisés pour maîtriser les manifestations psychotiques telles que les hallucinations, les idées délirantes et les comportements inappropriés. Ces derniers sont commercialisés sous une quarantaine de noms, dont Largactil, Haldol et Trilafon. Viennent enfin les antiparkinsoniens, comme le Kemadrin et le Cogentin, dont l'unique utilité est de masquer les troubles du mouvement occasionnés par l'absorption des neuroleptiques.

Quel est l'effet des neuroleptiques, médicaments de prédilection dans le traitement des états psychotiques? Ce sont des neuroleptiques que l'on utilise dans les fléchettes lancées sur les animaux sauvages quand on veut les immobiliser pour fixer sur leur corps des dispositifs permettant de les identifer ou d'étudier leurs déplacements ultérieurs. Encore conscients mais rendus totalement inoffensifs, ces animaux parfois féroces se laissent manipuler sans réagir tant que le produit fait effet. Les neuroleptiques sont aussi employés pour maîtriser les animaux domestiques devenus vicieux. Dans les manuels vétérinaires, on indique clairement que l'usage de ces produits doit être limité aux cas d'urgence ou terminaux, car ils sont jugés trop dangereux pour être administrés de façon prolongée[2]. Ce sont aussi les neuroleptiques que l'on utilisait dans l'ex-République soviétique sur les dissidents que l'on désirait réduire au silence. Ce sont enfin ces mêmes substances que l'on donne aux personnes atteintes de troubles mentaux pour qu'elles se tiennent tranquilles et cessent d'être dérangeantes.

Quel effet produisent donc ces médicaments? Dans le premier cas, peut-on estimer qu'ils guérissent l'ours polaire de sa condition d'animal sauvage en le rendant placide et facile à approcher? Dans le deuxième cas, peut-on estimer qu'ils guérissaient les dissidents soviétiques de leurs idées subversives en les mettant hors d'état de nuire? Le moins que l'on puisse dire, c'est que ce traitement avait les résultats escomptés. En 1976, le *News and World Report* publiait les propos tenus par le dissident russe et homme de science Leonid Plyushch après qu'il eut réussi à s'enfuir aux États-Unis. «J'étais, disait-il, horrifié de voir mes capacités intellectuelles, morales et émotives se détériorer de jour en jour. Mon intérêt pour les questions politiques a été le premier à disparaître. Puis ce fut le tour de mon intérêt pour les questions scientifiques de s'estomper, et enfin celui que je portais à ma femme et à mes enfants.» Est-il utile d'ajouter qu'il ne recevait que de faibles doses de Haldol, un des médicaments psychiatriques les plus couramment utilisés? Dans le troisième cas, les neuroleptiques «guérissent» les troubles mentaux puisque les personnes qui en prennent deviennent soudainement calmes et obéissantes. Rappelons-nous ce que Luc disait: «J'avais l'impression d'être un

2. Peter Breggin, M. D. *Toxic Psychiatry*, New York, St. Martin's Press, 1991.

mort vivant, je n'avais plus de réactions. On me disait «va manger», je mangeais; on me disait «va te laver», je me lavais. J'étais un peu comme une bête dans un troupeau. J'étais complètement perdu. Par moments on m'aurait fait n'importe quoi et j'aurais dit merci beaucoup.» Comme l'ours polaire et le dissident soviétique, Luc a perdu toute identité et toute trace de volonté, qualités qui faisaient de lui un être à part entière.

Mais voyons ce qui pourrait nous faire croire que les neuroleptiques constituent un traitement approprié pour la schizophrénie. Il est vrai qu'ils sont efficaces pour améliorer les symptômes d'hyperactivité et d'hostilité des personnes en crise. Mais qu'en est-il des hallucinations et des délires? Effectivement, sous l'effet de la médication, les hallucinations et les délires semblent diminuer. Mais on constate également que les personnes qui prennent des neuroleptiques communiquent moins. En fait, elles ne parlent plus de grand-chose, même pas de ce qui les passionnait auparavant, parce qu'elles ont perdu l'intérêt pour presque tout, y compris pour leurs hallucinations. L'indifférence psychique provoquée par les médicaments a nivelé chez elles toute émotion et toute réaction. Ces personnes ont aussi souvent vite compris que, si elles continuaient à parler de leurs hallucinations, elles risquaient de voir augmenter les doses de ces médicaments particulièrement pénibles à supporter. Le psychiatre Peter Breggin rapporte, dans son livre *Toxic Psychiatry*[3], que de nombreux ex-patients lui ont confié qu'ils avaient vite appris à se taire de peur qu'on leur donne des doses plus fortes de médicaments.

Quels médicaments Luc recevait-il pendant son hospitalisation? Comme l'indique son dossier médical, on lui a administré pendant les premiers jours un ensemble de calmants et d'antidépresseurs. Puis, à partir de l'incident de la cabine téléphonique du soir de Noël, il s'est mis à recevoir des neuroleptiques, ces médicaments que l'on destine habituellement au

3. Peter Breggin, M. D. *Toxic Psychiatry*, New York, St. Martin's Press, 1991.

traitement de la schizophrénie, à savoir du Trilafon et du Haldol, chacun assorti d'un antiparkinsonien. Un troisième neuroleptique, le Largactil, était prévu en cas d'agitation. À noter que malgré la prise d'antiparkinsoniens, qui ont pour effet de camoufler les tremblements occasionnés par les neuroleptiques, Luc se sentait pris d'une envie constante de remuer et il était agité par des tics. Avouons que les mouvements incontrôlables que provoque souvent la prise de neuroleptiques ne contribuent en rien à améliorer l'image des personnes souffrant de troubles mentaux. Celles-ci ont déjà suffisamment de défis à affronter sans être, en plus, affligées de mouvements caricaturaux dus à l'absorption de médicaments qui contribuent à les repousser davantage en dehors des marges de l'acceptable aux yeux de la société. Imaginons aussi quelle pourrait être la gravité de ces troubles du mouvement si ces personnes ne recevaient pas d'antiparkinsoniens pour les masquer. C'est dire l'effet de ces médicaments sur le système nerveux.

Pourquoi Luc recevait-il des neuroleptiques? À ce moment-là, si l'on se fie à son dossier médical, il n'avait qu'un diagnostic de dépression et de trouble de la personnalité. Pourquoi le traitait-on comme s'il était psychotique ou schizophrène? Pourquoi avoir pris la peine de poser un diagnostic censé correspondre à un traitement spécifique — les antidépresseurs étant réservés aux dépressions, les neuroleptiques aux symptômes psychotiques, et ainsi de suite — pour finir par lui administrer la même panoplie de médicaments qu'à toutes les autres personnes souffrant de troubles mentaux? Et puis, si Luc était dépressif, pourquoi, pendant tout le temps où il a été traité, n'a-t-il rencontré aucun psychologue ou thérapeute? Comment comprendre que l'on traite de tels états sans chercher à les soulager par un peu de compréhension et de contacts humains significatifs? Comment se fait-il que le rôle du psychiatre ne se limitait qu'à la simple prescription de médicaments? Comment penser améliorer l'état d'esprit d'une personne déprimée en lui administrant un traitement aussi déprimant? Cette psychiatrie biomédicale en laquelle tout le monde met aujourd'hui tant de foi, que livre-t-elle au juste?

En fait, Luc recevait probablement des neuroleptiques parce que l'on jugeait qu'il commençait à déranger et que c'est là le traitement de prédilection en psychiatrie dans de tels cas. Les personnes ayant des problèmes de santé mentale ne sont d'ailleurs pas les seules à être jugées dérangeantes et traitées avec ces médicaments. Les neuroleptiques sont en effet utilisés à grande échelle dans les institutions pour personnes âgées et pour personnes souffrant de déficience intellectuelle. L'administration de neuroleptiques sert alors à transformer ces personnes dérangeantes en un troupeau facile à parquer et à contrôler. Drôles de maladies que les troubles mentaux, le vieil âge et le retard intellectuel!

Nous savons par contre que, même s'il n'avait pas été diagnostiqué comme tel, Luc présentait depuis plusieurs années des signes évidents de schizophrénie. Si les neuroleptiques qu'on lui donnait avaient été de réels médicaments pour le traitement de la schizophrénie, on aurait dû voir son état s'améliorer à la suite de la prise de ces médicaments que les circonstances l'amenaient à consommer. Mais, loin de là, dès le moment où il a commencé à prendre des neuroleptiques, ses hallucinations se sont multipliées et, pour la première fois de sa vie, il a commencé à croire qu'il était fou pour de bon. Même s'il se comportait extérieurement de façon calme et s'il obéissait aux ordres comme un robot, ce qui était vu comme un signe d'amélioration de sa condition, cette soumission apparente s'accompagnait d'une intolérable intensification de son malaise intérieur. La consultation de centaines de pages de transcriptions de témoignages livrés par quantité d'autres personnes ayant pris ces médicaments confirme le récit de Luc concernant ce cauchemar intérieur lié à la prise de neuroleptiques. En fin de compte, comme le faisait remarquer l'une de ces personnes: «Quand je prends mes médicaments, ma famille se sent bien. Si je leur dis que je ne les prends pas, ils se sentent mal. Dans le fond, quand je prends des médicaments, c'est eux qui vont bien et moi qui vais mal.»

Mais revenons à la réalité des comportements hautement dérangeants qu'ont souvent les personnes ayant des troubles de santé mentale. Mettons-nous à la place des proches qui doivent endurer les comportements insupportables des personnes en crise. Mettons-nous dans la peau des psychiatres à qui l'on amène à longueur de journée des gens en crise dont plus personne ne sait que faire. La société donne à ces psychiatres un mandat clair, celui de mettre hors d'état de déranger ces personnes jugées encombrantes. Devant la tâche, ils parent au plus pressé avec les moyens dont ils disposent en présentant ces moyens comme étant le traitement par excellence. Nous ne devons pas en conclure toutefois qu'il s'agit là d'une solution acceptable pour les personnes qui reçoivent ces traitements.

Nous verrons plus loin que, partout dans le monde, différentes expériences de traitement sans médication ont été tentées et ont donné des résultats prometteurs. Mais le réseau de santé mentale alternatif québécois constitue probablement le premier système à grande échelle à donner des résultats aussi encourageants et aussi peu coûteux en ce qui a trait à l'amélioration des troubles mentaux. Nous verrons par la suite comment Luc et de nombreuses autres personnes dans son cas ont réussi, grâce à ce réseau, à se doter d'une santé mentale qu'ils n'avaient jamais eue avant, en dépit du fait qu'ils aient diminué ou même cessé leur consommation de médicaments après un sevrage progressif.

«J'avais un trou dans la tête et des insectes noirs sortaient de partout pour me mordre.»

La dérive

Un vent de panique s'est emparé de moi quand je suis sorti de l'hôpital. Je ne me sentais plus en sécurité. Qu'allait-il m'arriver si j'avais des crises d'angoisse, si j'étais tenté de me suicider, si je devenais violent? J'avais honte et je craignais que les armes que sont les préjugés se retournent contre moi. J'avais peur que ma famille me repousse, que la société me méprise et me pointe du doigt en disant: «C'est lui le fou.» Comment regarder les gens dans les yeux dans ces circonstances? J'avais aussi des préjugés envers moi-même. Je cherchais à m'isoler, à me cacher dans un coin. Je ne voulais pas rencontrer quelqu'un qui me demanderait comment j'allais. J'ai alors réalisé à quel point il était important de se sentir accepté.

Ma sœur m'a recueilli chez elle. Elle habitait dans une petite ville de banlieue où je ne connaissais personne. J'étais perdu, j'avais quitté le milieu où je vivais, mes enfants me manquaient. Les médicaments que je prenais me faisaient dormir de seize à dix-huit heures par jour. Je ne riais pas, je n'avais envie de rien, j'avais l'air bête. Les cocktails de médicaments que j'avalais ne m'apportaient aucun réconfort. Je n'aimais pas non plus les sensations et la fatigue que cette lourde médication me procurait. En fait, les médicaments me rendaient malade, mon état empirait. Je me demandais où cela me mènerait. Pour me calmer, je buvais. J'étais insupportable, mal dans ma peau. Aller à l'épicerie, c'était la fin du monde tellement je me sentais épuisé. Ma sœur, qui me connaissait bien, ne trouvait pas normale cette apathie. Elle me disait: «Tu es devenu un légume, tu ne réagis plus.» Elle avait organisé une fête pour mon anniversaire, mais je n'avais manifesté aucune joie. Elle avait été frustrée de s'être donné tant de mal pour si peu de résultats. Elle ignorait à ce moment-là que c'était là un des effets des médicaments que d'anéantir toute réaction.

Je devais voir ma psychiatre une fois par semaine à la clinique externe. Je trouvais les psychiatres qui s'étaient occupés de moi à l'urgence, dans l'aile psychiatrique et plus tard à la clinique externe froids et distants. Ils utilisaient souvent des mots peu accessibles au commun des mortels. Je les comprenais mal. Quand je leur racontais que j'avais mal au point de vouloir frapper les murs, ils me répondaient qu'il s'agissait là de fantasmes de violence et ils augmentaient mes doses. J'en étais arrivé à prendre des doses de cheval, et ces doses m'enlevaient toute la conscience qui me restait. Je leur demandais ce qu'ils me prescrivaient, et ils me répondaient que ce n'était pas bon que je le sache. En aucun temps on m'a dit pourquoi on me prescrivait ces médicaments. Je savais seulement que j'avais une épée de Damoclès au-dessus de la tête: je devais respecter à la lettre la prise des médicaments, sinon je risquais d'être réhospitalisé. J'avais l'impression de devoir marcher sur ma liberté pour leur plaire.

Quand je me plaignais de confusion et de fatigue, on me faisait croire que c'était dû à ma maladie, me cachant que c'étaient souvent là les effets secondaires des médicaments. Je me suis mis à réclamer des soins réels. J'avais beau demander de voir un psychologue, on ne prenait pas ma demande au sérieux. J'avais l'impression qu'on me croyait atteint d'une maladie chronique incurable, que j'étais foutu et que, par conséquent, il n'était pas utile d'investir dans une thérapie. Je me demandais si les psychiatres étaient là pour m'aider, d'autant plus que je commençais à me rendre compte qu'aucun médicament ne pourrait me guérir. J'avais l'impression d'être condamné à vie, j'étais révolté qu'on ne prenne pas la peine de me soigner.

Ma sœur a fini par me mettre à la porte au bout de quelques mois. Cette décision la déchirait, mais elle constatait qu'elle ne pouvait rien pour moi et qu'elle trouvait trop pénible de vivre ma souffrance jour après jour sans me voir progresser. Ce fut très éprouvant pour moi aussi. Une fois de plus on m'abandonnait, une fois de plus j'étais maudit par la vie. Je me rends compte aujourd'hui que cette décision m'a sauvé. Chez elle, je vivais dans de la ouate. Si elle ne m'avait pas mis dehors, il est probable que je serais encore en train de me bercer dans son salon en prenant des pilules.

Je ne savais pas où aller. J'avais tellement peur de déranger les autres, même s'ils m'offraient leur aide. J'avais peur aussi de perdre leur amitié en leur exposant mes problèmes. Avec le peu d'argent que j'avais, je vivais mal, j'avais faim et je n'osais appeler personne, même pas un organisme de charité, pour demander à manger. J'étais humilié parce qu'auparavant j'avais toujours réussi à me débrouiller.

Le travailleur social qui me suivait à la clinique externe avait fini par m'indiquer le nom d'un organisme communautaire qui venait en aide aux personnes ayant des problèmes de santé mentale. J'ai donc décidé de me rendre à cet organisme, le Tournesol, sans grande conviction. Une femme particulièrement menue m'a accueilli. Convaincu qu'une fois de plus on ne me viendrait pas en aide, j'ai mis toute la mauvaise volonté du monde à me présenter. Je lui ai donc dit, pour la tester: «Je tiens à vous dire que je suis un malade mental dangereux et qu'en plus j'en veux aux femmes.» J'ai eu la surprise de la voir sourire et me répondre: «Alors tu es le bienvenu ici!» Moi qui avais perdu confiance dans les femmes depuis que la mienne m'avait trompé, j'allais constater que cette femme serait l'une des premières personnes à m'aider à sortir de mon enfer.

Je venais de découvrir le monde des groupes d'entraide, de voir que, contrairement à ce qui se passait à la clinique externe, on se levait pour me recevoir. Je constatais que je n'étais plus traité comme j'étais traité en psychiatrie. Je trouvais un groupe de personnes qui souffraient ou avaient souffert de problèmes de santé mentale semblables aux miens et avec qui je pouvais partager mes expériences. Je pouvais parler sans gêne et sans que l'on me juge. Moi qui avais tant de difficulté à mettre des mots sur ma souffrance et qui n'arrivais pas à m'exprimer, j'apprenais à m'ouvrir. Ce n'est pas évident dans une fête de famille de parler de ses problèmes de santé mentale.

Jusqu'alors j'étais convaincu que mon cas était unique, même si tous les intervenants que j'avais rencontrés m'assuraient du contraire. Je me rendais compte que je n'étais plus seul. Quel soulagement de constater que mon état devenait presque normal dans ce groupe! Et si je disais que je me sentais mal, on ne me répondait pas, comme le faisait le psychiatre, qu'il fallait augmenter les doses de mes médicaments. J'y ai rencontré Lucile, que l'on disait schizophrène. Elle m'a beaucoup soutenu. C'est elle qui m'a aidé à trouver un appartement. Elle m'avait déclaré: «Luc, prends garde aux médicaments, à force d'en prendre j'ai d'énormes trous de mémoire depuis quelques années. Mon psychiatre m'a dit que les médicaments avaient causé des dommages neurologiques irréparables à mon cerveau. Selon lui, je ne pourrai plus rien apprendre, je ne serai plus jamais capable de suivre des sessions de formation qui me permettraient de retourner sur le marché du travail.» Cela la désespérait, elle aurait tant voulu apprendre la dactylo et occuper un poste de réceptionniste. À quarante ans elle se sentait finie. Une semaine après cette conversation, j'apprenais son suicide. Elle n'avait pas mis fin à ses jours en raison de son trouble mental. Elle s'était tuée à cause d'un effet secondaire des médicaments qu'elle prenait. Je ne peux m'empêcher de penser que les psychiatres sont irresponsables!

Je commençais à me poser plein de questions. Pourquoi est-ce que j'étais comme cela? Comment faire pour m'en sortir? Les réponses à ces questions n'étaient pas évidentes, mais je voyais maintenant autour de moi des gens qui essayaient de voir les choses différemment. Malgré ces nouveaux contacts, je me sentais mal, je ne m'aimais pas, j'avais du mal à maîtriser mon agressivité. Malgré aussi l'ouverture du groupe, je n'étais pas encore suffisamment bien avec moi-même pour considérer que ces amis puissent faire partie de ma vie de tous les jours. Je n'osais pas déranger, je ne réalisais pas qu'ils étaient là justement pour me donner l'aide dont j'avais désespérément besoin. Je souffrais aussi cruellement de solitude. Mes difficultés psychologiques, familiales et matérielles me paraissaient insurmontables. J'étais toujours à la dérive.

Je m'étais toutefois brièvement fait une petite amie. Dans ces circonstances, notre soif d'amour est telle qu'on se jette dans les bras de la première venue. Mais je manquais de libido et j'étais incapable d'avoir des relations sexuelles. Ma partenaire s'impatientait de la situation et menaçait de me quitter pour cette raison, ce qu'elle a d'ailleurs fait. J'ai commencé à m'inquiéter de cette impossibilité d'avoir des relations amoureuses. J'en avais parlé à ma psychiatre, qui m'avait répondu que c'était un problème purement psychologique. J'avais toutefois fini par me renseigner auprès d'un pharmacien, qui m'avait appris que les médicaments que je prenais étaient des neuroleptiques, et que c'était pour cette raison que je n'étais pas en forme et que j'avais une qualité de vie réduite. J'étais furieux contre ma psychiatre. Quand j'ai abordé le sujet au cours de notre rencontre suivante, elle a admis qu'elle le savait mais qu'elle préférait garder ses patients dans l'ignorance. Moi, à qui l'on avait dit que la plupart de mes problèmes se situaient entre mes deux oreilles, je commençais à réaliser qu'ils se situaient aussi entre mes amygdales, là où passaient les pilules que je prenais. Ma psychiatre a toutefois accepté de diminuer mes doses de neuroleptiques, à la condition que j'augmente ma consommation de calmants. Sans résultat.

C'en était trop, je ne voulais plus prendre ces médicaments qui me rendaient malade. J'ai fait ce qu'il ne fallait surtout pas faire quand on veut se sevrer efficacement des médicaments: les jeter et cesser brusquement d'en prendre. Je sais maintenant que c'est la recette la plus sûre pour se retrouver à nouveau à l'hôpital psychiatrique. L'effet ne s'est pas fait attendre. J'ai été assailli par des insomnies et des angoisses pires que celles que j'avais déjà connues. Le monde devenait psychédélique, mes hallucinations prenaient une dimension sans précédent, celles que j'avais eues auparavant m'apparaissaient comme de la petite bière par comparaison. Les yeux me chauffaient, la peau me piquait, je sentais que l'intérieur de mon corps se tordait, que j'avais un trou dans la tête et que des insectes noirs sortaient de partout pour me mordre. J'avais l'impression de marcher sur la Lune, que tous mes mouvements se faisaient au ralenti. Mon corps s'agitait, comme secoué par un tremblement de terre, je suais comme si je venais de sortir de la douche. J'avais de plus très mal à la tête, je vomissais, j'avais des diarrhées. Terrorisé, j'ai fini par me réfugier à l'urgence pour qu'on me sorte de cet atroce cauchemar.

Comme tout le monde dans cette situation, j'ai eu si peur que cet état persiste le reste de ma vie que j'ai décidé de reprendre mes médicaments. Je me sentais pris au piège entre les effets secondaires des médicaments difficiles à supporter tant sur le plan physique que sur le plan psychologique et cette barrière que constituait la réaction démesurée de mon organisme en réponse à l'arrêt de la médication. Je ne pouvais plus vivre sans mes médicaments, je ne pouvais plus vivre non plus avec mes médicaments. Je me sentais comme un fauve enfermé dans une cage sans ouverture, condamné à la prison à perpétuité. J'enrageais.

Je voulais m'en sortir, je voulais retourner sur le marché du travail, et je voyais qu'il me serait impossible de le faire tant que je serais gelé et diminué par les médicaments que l'on me forçait à prendre. Après tout, les psychiatres me demandaient de prendre mes responsabilités dans la société. Je ne pouvais comprendre qu'ils exigent cela de moi tout en anesthésiant mes capacités intellectuelles et émotives et en diminuant mes aptitudes physiques avec des médicaments. Ces derniers me procuraient une telle insensibilité qu'un jour j'ai enfoncé un clou dans mon genou pour tester jusqu'où allait mon engourdissement physique. À trois centimètres, je ne sentais toujours rien. Je voyais bien que ce n'était pas en restant figé dans un tel carcan que je pourrais retourner travailler. Je savais qu'il me serait impossible de fonctionner normalement sous l'effet des médicaments. Je suppliais, sans succès, ceux qui me traitaient de diminuer mes doses.

Quelques semaines plus tard, j'ai de nouveau essayé de m'échapper de cette impasse en cessant encore brusquement de prendre mes médicaments, ce qui m'a fait retomber dans les épouvantables sensations que j'avais éprouvées la fois d'avant. J'étais de plus habité par des sentiments de haine et de violence à l'égard de celui qui m'avait violé quand j'étais enfant. Parvenu à un sommet de douleur, j'ai tenté au bout d'un mois de ce régime de mettre fin à mes jours en avalant une grande quantité de médicaments. À l'urgence, on m'a traité pour cette intoxication et on m'a rendu à la rue le lendemain matin. Mon appel au secours était une fois de plus passé inaperçu. J'étais revenu à la case de départ, je devais reprendre mes médicaments, les psychiatres me refusaient toujours l'accès à un psychologue, je tournais en rond.

Ma famille se sentait impuissante. Mes sœurs continuaient de me dire qu'elles m'aimaient tout en se rendant compte qu'elles étaient incapables de m'accompagner dans mon cheminement. Ma famille aurait tout fait pour m'aider. Quand je ne me sentais pas bien, que le monstre qui vivait en moi me faisait trop mal et que je me sentais au bord du suicide, je téléphonais à mon frère. Celui-ci vivait sur une terre à bois près de Québec et élevait des chiens de traîneau. Il me disait: «J'arrive, mon frère, viens vers la nature, viens vers les chiens.» Quand je me sentais trop agressif, je lui demandais la permission de me défouler sur les arbres. Il me donnait une hache, et je bûchais de toutes mes forces jusqu'à ce que j'aie des ampoules sur les mains. Je forçais, cela me libérait, me faisait du bien. Je pouvais enfin hurler sans blesser personne. Nous ne parlions pas de mes problèmes. Il me racontait plutôt des histoires et des anecdotes qui me distrayaient de mes soucis. En l'écoutant, j'avais l'impression d'aller mieux.

Cela n'arrivait pas à enrayer mon profond désarroi. Mais les rencontres positives commençaient à se multiplier et à se placer autour de moi comme des bouées psychologiques. Je me souviens de cette oasis de charité tenue par des religieux où il m'était possible d'aller chercher des fruits, des légumes, du pain et des brioches. Un jour où j'étais particulièrement perdu et déprimé, la responsable m'a invité à contempler la crèche qui avait été aménagée dans leur local en m'assurant que j'irais mieux après. N'osant trop contrarier cette généreuse personne, je me suis mis à regarder longuement la crèche sans rien voir de spécial. Puis, après un quart d'heure, un détail m'a frappé. Il était là, au milieu, le Sauveur, nu sur la paille comme j'étais nu dans la vie, et il avait réussi à bâtir un empire. Pourquoi est-ce que je ne serais pas capable, moi, d'accéder à l'empire de ma propre vie? Je suis sorti réconforté.

Mon médecin de famille m'aidait aussi. Il me recevait en fin de journée afin de pouvoir consacrer plus de temps à m'écouter. Il me disait qu'il était important de sortir des griffes de la psychiatrie, il m'incitait à être actif, à cesser de me bercer chez moi.

J'avais commencé à fréquenter un organisme qui s'appelait Pleins Droits Lanaudière, où j'avais reçu une révélation aussi forte qu'un coup de tonnerre. Doris Provencher, qui travaillait pour cet organisme, m'avait convaincu que moi, qui me croyais méprisable, j'étais un être humain et qu'en tant que tel j'avais le droit d'avoir des buts, des rêves. Je pouvais demander qu'on me respecte, je pouvais me promener dans la vie sans avoir les yeux constamment fixés au sol. Cette prise de conscience représentait pour moi un invraisemblable cadeau qui allait transformer ma vie. Quand je me suis réveillé le lendemain de cette révélation, j'allais toujours mal, mais l'espoir avait commencé à germer en moi. J'atteignais un point tournant de ma vie. J'avais appris aussi que j'avais des droits. Je comprenais que je pouvais désormais savoir, prendre des décisions libres et éclairées, refuser des médicaments. Mes psychiatres n'ont d'ailleurs pas apprécié que je me mette à leur lire les articles de loi qui sont pourtant clairs à ce sujet. À partir du moment où j'ai commencé à me défendre en montrant que je connaissais mes droits, ils se sont mis à marcher sur des œufs. Puis j'ai milité en faveur de la défense des droits des personnes ayant des problèmes de santé mentale. Mon engagement a fini par me valoir d'être nommé quelques mois plus tard président du conseil d'administration de l'organisme de défense des droits dont je faisais partie et qui était composé de personnes souffrant de troubles mentaux.

J'étais de plus en plus déterminé à m'enfuir de ma prison chimique. J'ai fait plusieurs autres tentatives de sevrage qui ont tourné elles aussi à la tentative de suicide et ont abouti à des hospitalisations. J'avais un jour été admis à l'urgence. Le psychiatre de garde m'avait demandé comment j'occupais mon temps. Je lui avais répondu que je fréquentais le Tournesol et que j'étais président du conseil d'administration de Pleins Droits Lanaudière. Il m'a alors dit: «Tu es donc guéri si tu connais si bien tes droits. Ton cerveau marche. Et si tu es président, tu n'as qu'à claquer des doigts pour obtenir ce que tu veux. Je vais recommander à mon équipe de ne plus te soigner. En plus, tu travailles, il est donc inutile de renouveler ton certificat d'inaptitude au travail.» J'ai précisé qu'il ne s'agissait pas d'un travail, que j'étais bénévole au sein de cet organisme, donc non salarié, et que j'avais besoin de mon certificat d'inaptitude parce que je n'étais pas encore en mesure de travailler.

Dénigrant mon travail dans ces organismes, il a ajouté qu'il n'était pas bon pour moi de me tenir avec des «malades mentaux», que je risquais de rechuter si je restais en leur compagnie. Je n'ai pas pu m'empêcher de lui faire remarquer que lui-même se tenait toute la journée avec des personnes souffrant de problèmes de santé mentale, et qu'il avait l'air de bien se porter. Je lui ai aussi demandé de s'excuser d'avoir traité mes semblables de malades mentaux et d'avoir parlé en mal des organismes que je fréquentais. Je lui ai dit que j'en avais assez d'aller en psychiatrie et que ce que je voulais, c'était un vrai traitement et non uniquement des médicaments. Le psychiatre a mis fin à l'entrevue en me disant: «Si tu en as assez de nous, retourne chez toi, on ne veut plus te voir.» Or, il n'avait à aucun moment cherché à savoir ce qui m'avait amené dans son bureau, tout occupé qu'il était à discréditer mon engagement auprès des organismes communautaires qui avaient été mon seul soutien valable au cours des derniers mois. Pourtant, il aurait été de bon ton, de sa part, de faire la promotion de ces organismes que le ministère de la Santé et des Services sociaux a veillé à multiplier, en accord avec sa politique de santé mentale.

J'ai donc envoyé une lettre au directeur des services professionnels de l'hôpital pour me plaindre du traitement qui m'avait été réservé. Peu de temps après, un rendez-vous a été fixé pour une rencontre d'explication avec ledit psychiatre et la directrice du département de psychiatrie. Je n'avais pas pris de chance, je m'étais fait accompagner par Chloé Serradori, une conseillère en droits et recours en santé mentale. J'avais entre autres pris cette précaution parce que ce psychiatre avait un accent et un vocabulaire difficiles à comprendre. J'avais l'impression qu'il avait une patate chaude dans la bouche. Mon accompagnatrice m'aidait donc en traduisant ses propos dans un langage compréhensible. Devant mon insistance à obtenir des excuses au nom de mes camarades, il a fini par dire avec une certaine mauvaise foi qu'il s'excusait «de guerre lasse». Choquée, la directrice du département est vivement intervenue pour dire que jamais elle n'autoriserait un de ses psychiatres à s'excuser auprès d'un patient. Comme entretien de conciliation, ça n'a pas été des plus réussis, mais j'ai reçu l'assurance que je pourrais être encore soigné à l'hôpital. J'ai pu constater par la suite que je pouvais toujours être traité à l'urgence, mais il me fallait alors entrer en communication avec le directeur des services professionnels pour qu'on ne me fasse pas attendre des heures. Ce combat était douloureux à poursuivre, mais je me rendais compte qu'il me fallait continuer de lutter.

Je n'avais personne pour m'aider à cesser de prendre des médicaments. Les psychiatres affirmaient que je ne pouvais plus m'en passer et qu'il fallait absolument que je continue de les prendre. Ils refusaient de m'aider dans mon sevrage, comme s'ils étaient convaincus que je ne pourrais jamais être suffisamment bien pour me passer un jour de médicaments. Après avoir essayé sans succès de me sevrer à froid, j'ai commencé à remplacer les médicaments par de l'alcool et de la drogue. Cela marchait déjà mieux, mais ce n'était toujours pas une solution acceptable. J'avais trop d'orgueil pour demander de l'aide, mais en même temps j'en avais assez de ce scénario qui menait aux tentatives de suicide chaque fois que j'essayais d'échapper aux insupportables effets secondaires de mes médicaments.

Commentaires

À la sortie de l'hôpital, Luc a été suivi en clinique externe. Une fois par semaine, donc, il rencontre son psychiatre. Que se passe-t-il pendant l'entrevue avec ce dernier? Les entrevues sont courtes. Quand on regarde les notes du psychiatre, on constate que l'entrevue, en plus d'être brève, reste élémentaire. Elle consiste à brosser un portrait de l'état et de la situation du client, et à faire correspondre à cette évaluation sommaire la prescription des médicaments jugés appropriés.

Voyons ce que nous trouvons dans le dossier de Luc. Celui-ci a obtenu son congé de l'hôpital le 22 janvier, mais il a été admis de nouveau pour deux jours, à savoir les 26 et 27 janvier, en raison de son état régressif, dépressif et suicidaire, comme l'indiquent les notes de l'évaluation clinique faite à l'urgence. Le lendemain de cette nouvelle sortie de l'hôpital, soit le 28 janvier, il est reçu par son psychiatre à la clinique externe de l'hôpital. Que lit-on dans les notes d'entrevue à cette date?

«Pas déprimé, pas suicidaire, ni homicidaire, ni psychotique. Anxieux de se retrouver dans la rue, vécu agressif, peur d'être considéré comme le méchant, peur d'être battu.» C'est tout. On ne décèle dans cette entrevue aucun intérêt pour les idées dépressives et suicidaires de la veille, si intenses qu'elles ont justifié une hospitalisation, puisque, aujourd'hui, selon le psychiatre, le client n'est ni suicidaire ni déprimé. Plutôt mince comme contact humain et comme perspicacité!

En date du 2 février, on lit: «Devient anxieux quand il se demande où il sera dans quelques jours et quand il pense à ses enfants. S'ennuie isolé à Repentigny où il ne connaît que la famille de sa sœur. Peur de l'abandon, désarroi important.» Et, accolée à cette description, la mention «Pas déprimé cependant». Et le suivi psychologique dans tout cela? Voilà qui ne semble pas constituer une préoccupation chez les psychiatres qui s'occupent de Luc — car plusieurs psychiatres se relaient pour le rencontrer en clinique externe. Nulle part on voit ceux-ci s'intéresser au potentiel de ce client, essayer de voir comment il pourrait surmonter son désarroi et établir une stratégie pour l'aider à retrouver l'estime de lui et à affronter la vie. Voilà qui n'a rien d'étonnant. La psychothérapie est jugée de moins en moins utile en psychiatrie puisque les troubles mentaux sont considérés comme étant purement et simplement des maladies. Plusieurs chefs de file en psychiatrie réclament d'ailleurs que l'enseignement de la psychothérapie ne fasse plus partie de la formation des jeunes psychiatres. Un certain nombre d'universités ont déjà abandonné cet enseignement dans le cadre des cours de psychiatrie.

De son côté, Luc comprend vite qu'on ne l'aide pas vraiment. Lorsque, le 13 avril, il réclame de suivre une thérapie, son psychiatre inscrit dans le dossier médical que cette requête dénote une attitude passive et agressive, et «semble d'ailleurs un moyen de reculer la prise de responsabilités». Surréaliste non? Depuis quand une personne qui prend l'initiative de demander une thérapie doit-elle être considérée comme passive? Peut-être le psychiatre s'imagine-t-il qu'une thérapie consiste à faire régler ses problèmes par les autres et que c'est faire preuve de passivité que de vouloir en suivre une. Depuis quand est-ce faire preuve d'agressivité que de réclamer avec insistance une thérapie quand on sait que la personne qui la réclame sort tout juste d'une hospitalisation pour dépression, trouble d'adaptation et trouble de la personnalité? Depuis quand est-ce faire preuve d'irresponsabilité que de vouloir être soutenu par une thérapie pour faire face à ses responsabilités? Cette allusion aux responsabilités que doit prendre Luc se retrouve ainsi à plusieurs reprises dans son dossier, sous la plume de plusieurs psychiatres. En voici un autre exemple: «Face à ses menaces suicidaires, je le retourne à ses responsabilités.» Décidément, c'est une vraie marotte chez eux!

En fait, le psychiatre de Luc estime peut-être que celui-ci suit déjà une thérapie, puisqu'il est tenu de voir un travailleur social, celui devant principalement l'aider à trouver des solutions concrètes à ses problèmes. Dans les notes de la première rencontre de Luc avec son travailleur social, qui s'est tenue le 12 février, on trouve une phrase qui résume l'attitude de celui-ci envers son nouveau client: «Bénéficiaire qui couvre en survol des traumatismes du passé pour tenter inconsciemment de nous impressionner et pour disqualifier toute tentative d'aide efficace. Le bénéficiaire discrédite l'aide apportée lors de sa dernière hospitalisation.» Ici aussi, le travailleur social semble manifester peu de sympathie pour la détresse et les appréhensions de Luc. Pourtant, celles-ci ne sont pas totalement sans fondement.

Luc a vite perçu que son interlocuteur lui serait de peu de secours. Il refuse donc de continuer à le voir. L'équipe du service de psychiatrie fait alors pression pour qu'il poursuive sa «thérapie». À l'entrevue suivante, le travailleur social écrit: «Bénéficiaire qui vient à l'heure fixée et qui présente un tableau de victimisation dès le départ.» Cette remarque aurait peut-être été justifiée si, au bout de six mois de thérapie, Luc avait continué à se cantonner dans la victimisation. Mais il s'agit ici des premiers contacts entre une personne qui demande de l'aide et celle qui devrait la lui apporter. Il est donc probablement normal que la première cherche à faire comprendre à la seconde l'étendue de sa détresse.

Les notes prises par le travailleur social pendant les neuf mois que durera cette thérapie consistent principalement en une énumération des faits reflétant la situation de Luc: démêlés relatifs à son divorce, recherche d'un appartement, difficultés avec l'aide sociale, idées suicidaires, tristesse et solitude, et ainsi de suite. On y trouve peu d'indications d'interventions thérapeutiques de la part du travailleur social. La première semble se produire le 10 juin quand Luc en vient finalement à parler de son viol et de la violence de son père à son égard, bref à s'ouvrir un peu plus. Le travailleur social écrit alors: «À partir du récit de monsieur Vigneault, nous l'amenons à faire des liens [avec sa façon de réagir] avec les [intervenants] de la clinique externe.» La remarque n'est pas sans pertinence. Mais elle laisse entendre que le travailleur social, plutôt que de s'intéresser en premier lieu aux émotions ressenties par Luc et aux répercussions, sur sa santé psychique, du viol et des actes violents auxquels il a été soumis, saute de façon bien autocentrique sur cette nouvelle information pour expliquer les difficultés qu'éprouve son client dans ses relations avec son travailleur social et ses autres «thérapeutes». «Bref, écrit-il, à défaut de liens significatifs, monsieur Vigneault utiliserait la provocation et les foudres de la colère pour attirer [l'attention] des figures parentales afin de maintenir une forme de contact.» La remarque est juste, mais Luc estime qu'elle intervient à un bien mauvais moment. Parler de son viol et se faire répondre de cette manière a de quoi rendre quiconque perplexe.

La deuxième intervention rapportée se produit une semaine plus tard et va dans le même sens. Cette fois-ci, Luc estime qu'elle cadre mieux avec l'entrevue: «À défaut de contact chaleureux, [le bénéficiaire] se mettait en [position de] bouc émissaire pour justifier sa présence à ses parents et aux figures de substitut parental.» La bonne volonté de cet intervenant, qui a fait de réels efforts pour aider Luc à résoudre ses problèmes concrets, ne fait pas de doute. Mais il ne semble pas juger que son client, qui lui a été envoyé par le département de psychiatrie, puisse tirer profit d'une relation d'aide plus poussée sur le plan psychologique. Luc a donc probablement raison de dire qu'il n'est pas suivi en thérapie, du moins une thérapie digne de ce nom.

Avant son hospitalisation, Luc allait déjà passablement mal. Mais pendant et après l'hospitalisation, il estime que sa situation a empiré. Il n'avait pas tort de se sentir diminué tant sur le plan physique que sur le plan intellectuel, puisque les médicaments qu'il prenait alors ont justement la propriété de créer ces états. En consultant le dossier médical de Luc, on constate qu'un infirmier avait justement noté que les capacités intellectuelles de Luc paraissaient particulièrement réduites. Cet infirmier avait aussi indiqué qu'il se demandait si cet état était dû aux médicaments.

On peut se demander si ces détériorations intellectuelles risquent de devenir permanentes après l'usage prolongé de neuroleptiques. Le psychiatre Peter Breggin estime que cela peut arriver[1]. Il a, entre autres, évalué le quotient intellectuel d'une jeune femme qui avait dû interrompre de brillantes études après l'apparition de la schizophrénie. Elle prenait des neuroleptiques depuis plusieurs années. En plus d'être affligée de troubles du mouvement importants, elle présentait de sérieux signes de détérioration intellectuelle. Breggin juge que la prise des médicaments avait eu pour effet de diminuer son quotient intellectuel de 30 % de façon permanente.

Comme la majorité des personnes traitées en psychiatrie, Luc essaie de remettre en question la prise de médicaments, mais il dispose de peu de renseignements pour justifier ses réclamations. Le manque d'information est d'ailleurs le principal problème des personnes qui prennent des médicaments

1. Peter Breggin, M.D. *Toxic Psychiatry*, New York, St. Martin's Press, 1991.

psychiatriques, et cette lacune est entretenue par la profession médicale. Quand Luc dit ressentir des effets secondaires qui le gênent et l'empêchent de fonctionner, ses thérapeutes feignent d'ignorer l'existence de ces effets. «Ce n'est pas bon que tu saches», lui répond-on quand il cherche à comprendre. On lui laisse d'ailleurs entendre qu'il n'a d'autre choix que de continuer la médication pour mener une vie soi-disant normale. La consigne est passée à ses proches, et sa sœur qui l'héberge est chargée de voir à ce qu'il prenne ses médicaments avec diligence.

Un scénario, qui nous a été rapporté par de nombreuses personnes ayant demandé à leur psychiatre d'interrompre leur médication, semble être assez courant. En réponse à la requête, le psychiatre réplique: «Tu veux cesser de prendre des médicaments? Essaie, tu vas voir, je te garantis que d'ici une semaine tu seras en état de crise et qu'il faudra t'hospitaliser de nouveau.» Pourquoi ces psychiatres omettent-ils de dire que l'intensification des symptômes est une réaction normale à l'arrêt brusque des médicaments psychiatriques et que cela ne constitue en rien une rechute? N'importe quelle personne normale, exempte de tout trouble mental, qui aurait consommé de tels médicaments et qui cesserait d'en prendre du jour au lendemain risquerait de se voir rapidement envahie par des sensations cauchemardesques et violentes avant d'être précipitée dans un état de crise justifiant une hospitalisation en psychiatrie. Le psychiatre a ensuite un bon prétexte pour ordonner la reprise massive des médicaments et pour proclamer: «Tu vois, je te l'avais dit.»

C'est donc l'une des particularités des médicaments psychiatriques que de provoquer ce type de réactions quand on cesse d'en prendre subitement. La raison en est simple. Prenons l'exemple des neuroleptiques. Les neuroleptiques ont pour effet de bloquer la réception, dans le cerveau, de la dopamine, qui est l'un des principaux messagers de l'influx nerveux. Cela a pour conséquence d'entraver la circulation de ce messager entre diverses structures du cerveau ayant un important rôle à jouer dans l'accomplissement de fonctions émotives et intellectuelles comme le raisonnement, la concentration, la planification, le jugement et la régulation des émotions. On pourrait comparer ces médicaments à un barrage. Le cerveau cherche rapidement à compenser la transmission interrompue par le barrage qui empêche certains influx nerveux de circuler: il augmente donc le nombre de récepteurs capables de recevoir ces influx nerveux en vue de rétablir l'efficacité de son réseau de transmission, mais les influx ne peuvent toujours pas passer en raison du barrage constitué par les médicaments. Cesser brusquement de prendre des médicaments équivaut à faire sauter ce barrage et à provoquer une débâcle d'influx nerveux, celle-ci étant aggravée par la multiplication des récepteurs. Cette débandade se traduit par une augmentation en flèche de l'anxiété, de l'agitation, de l'insomnie, des troubles de comportement, des hallucinations, et aussi par l'apparition de troubles du mouvement et de malaises gastro-intestinaux inquiétants.

C'est la fameuse crise du sevrage brusque que beaucoup confondent avec une rechute et qui conduit souvent à des tentatives de suicide se soldant généralement par une réhospitalisation en psychiatrie. Pour éviter ces réactions terrifiantes et ces conséquences néfastes, il convient de prendre les moyens de rétablir un débit de transmission d'influx nerveux normal et bien régularisé. Pour ce faire, il suffit de diminuer progressivement les doses de médicaments, ce qui équivaut à ouvrir graduellement les vannes du barrage, jusqu'à ce que la transmission des influx nerveux reprenne un débit normal et sécuritaire, ce qui peut prendre près d'un an. Pour atténuer les effets secondaires du sevrage, il est donc impérieux de suivre une méthode de sevrage rigoureuse s'échelonnant sur plusieurs mois sous la surveillance d'un professionnel de la santé qualifié. On pourrait donc considérer, à la limite, que c'est une grave faute professionnelle que de ne pas porter assistance à une personne qui a l'intention ferme d'arrêter ses médicaments et qui risque de le faire brusquement, et de laisser cette personne courir à sa perte alors qu'il existe d'autres solutions. Nous en parlerons plus loin.

On pourrait formuler d'autres commentaires au sujet du dossier médical de Luc, ne serait-ce qu'à propos de sa forme. Le dossier consiste en une importante liasse de documents empilés pêle-mêle et rédigés par de multiples intervenants, qui des services infirmiers, qui des psychiatres, du travailleur social ou de l'urgence. Les gribouillages et les pattes de mouches y rivalisant d'illisibilité. La mise en ordre du dossier constitue déjà un casse-tête dont il faut patiemment mettre les pièces en place avant de pouvoir établir une chronologie entre les informations qu'il contient. L'écriture difficile à déchiffrer sur plusieurs de ces documents laisse l'impression que chaque intervenant n'écrit que pour sa propre compréhension. Dans ces conditions, on peut imaginer qu'il soit difficile pour les intervenants qui se relaient pour soigner une personne de prendre vraiment connaissance de son dossier et de se faire une idée juste et globale de sa condition.

Pour en revenir à la schizophrénie, on est porté à croire qu'il s'agit d'une condition irrémédiable. Beaucoup de gens ignorent que 30 % des jeunes adultes qui ont un premier accès de schizophrénie n'en ont plus jamais par la suite. Peu de gens savent qu'au fil des ans l'état mental de nombreux schizophrènes peut s'améliorer. En 1980, le psychiatre Luc Ciompi, qui a suivi un groupe de 289 schizophrènes pendant près de 37 ans, rapportait dans le *British Journal of Psychiatry* que 27 % d'entre eux s'étaient complètement rétablis et qu'un autre 22 % ne présentaient plus que quelques signes résiduels de leur trouble, ces signes se manifestant, entre autres, par certaines difficultés d'ajustement social. Quant à Manfred Bleuler, le fils de l'inventeur du terme schizophrénie, il déclarait en 1978, après avoir suivi l'évolution de 208 schizophrènes pendant 20 ans, que la plupart d'entre eux avaient fini par s'ajuster tant bien que mal à la vie économique et sociale, et que 60 % de ces personnes étaient en mesure de gagner leur vie. L'acquisition d'une certaine expérience de vie et d'une certaine maturité explique probablement ces rétablissements qui se manifestent au cours des ans. Une étude plus récente de l'Organisation mondiale de la santé estime le taux de rétablissement à plus de 50 % et montre que ces taux sont plus élevés dans les pays en voie de développement parce que les schizophrènes y sont mieux soutenus par la société. Est-ce dire qu'en Occident, malgré toute l'artillerie de notre psychiatrie biomédicale, nous sommes moins efficaces dans le traitement de la schizophrénie que les pays peu développés?

Après une première crise de schizophrénie publiquement reconnue, de nombreux bouleversements se produisent dans la vie d'un individu. Son entourage risque de le considérer avec méfiance, ses amis se font manifestement plus rares, son patron l'a probablement mis à la porte et sa famille se sent peut-être justifiée de lui imposer des décisions qui ne lui conviennent pas nécessairement. Cet abandon amplifie le sentiment d'impuissance et multiplie les chances de récidive des crises schizophréniques.

La première crise devrait plutôt susciter une intervention énergique de l'entourage pour diminuer le risque que d'autres crises lui succèdent. Malheureusement, toute la bonne volonté de la famille et d'un thérapeute ne suffit généralement pas à assurer un soutien moral assez important pour que la situation se rétablisse. Ce soutien doit en effet être beaucoup plus étendu pour donner des résultats. C'est ce soutien, véritable filet de sécurité de la santé mentale, dont il faut s'assurer pour éviter qu'un accès passager de schizophrénie se transforme en schizophrénie de longue durée.

Le danger, lorsque l'on traite les personnes comme si leur trouble mental était permanent et uniquement physique, et lorsqu'on leur donne des médicaments qui entretiennent l'impuissance et la dépendance, est de les enfermer dans la chronicité, de les mettre sur une voie d'évitement définitive. C'est la consolidation de ce cercle vicieux qu'il faut éviter à tout prix. Comme l'indiquent les statistiques concernant les taux de rétablissement, il y a de l'espoir, et cet espoir a d'autant plus de chances de se matérialiser que la personne concernée ne s'estime pas condamnée à vie. En envisageant l'avenir de façon plus sereine et en aidant la personne handicapée par des troubles mentaux à surnager et à reprendre pied, il serait sûrement possible de freiner la progression de la schizophrénie et même de l'arrêter dès la première crise, d'obtenir des taux de rétablissement beaucoup plus élevés que ceux cités plus haut et de raccourcir la durée des manifestations schizophréniques dans la vie d'un individu. Les responsables des groupes d'entraide voient, jour après jour, d'innombrables personnes qui avaient été jugées irrécupérables s'améliorer de façon notable dès qu'elles échappent à la psychiatrie biomédicale. N'y aurait-il pas là une piste méritant d'être prise en considération?

«Je savais que la délivrance
m'attendait au bout du chemin.»

Le sevrage supervisé

J'ai fini par demander de l'information sur le sevrage à une personne qui s'y connaissait. Elle m'a expliqué pourquoi les sevrages que j'entreprenais avaient des effets si violents. Elle a fait le parallèle avec le sevrage des drogues, si pénible qu'il doit se faire sous supervision dans des lieux de retraite. Je n'étais pas sûr que je pouvais la croire. J'ai insisté pour qu'elle m'assure que ce qu'elle disait était vrai. Elle m'a répondu que je pouvais la croire parce qu'elle était personnellement passée par là. J'étais stupéfait. Je n'étais pas le seul au monde à avoir vécu ces effets insoutenables. J'ai eu l'impression qu'une valve s'ouvrait pour laisser sortir la pression contenue trop longtemps et je me suis senti soulagé. Je me suis accroché à cette idée: quelqu'un d'autre était passé à travers cette barrière du sevrage qui m'apparaissait infranchissable, quelqu'un s'en était sorti. Je commençais à entrevoir la possibilité de vivre un jour sans médicaments. À partir de ce moment-là, j'ai commencé à m'ouvrir davantage aux autres.

Il n'y a pas si longtemps, il n'existait presque pas d'information sur le sevrage des médicaments psychiatriques. Ma recherche m'a mené à un organisme communautaire qui donnait de l'information sur ces médicaments. En m'informant, j'ai compris que les médicaments psychiatriques créaient, à la manière des drogues, une dépendance tant sur le plan physique que sur le plan psychologique. C'est sécurisant de penser qu'il suffit de prendre une pilule pour cesser de souffrir. J'ai vu des gens s'affoler parce qu'ils n'avaient plus de pilules et se calmer à l'instant même où l'on en mettait une dans leur main. Le médicament avait produit son effet avant même d'être avalé, la promesse de combler le manque suffisait. Je me demande ce qui nous pousse à remettre notre pouvoir de relaxation à ces comprimés.

Je savais que je prenais des neuroleptiques et non seulement des antidépresseurs et des calmants comme je l'avais cru en premier. Beaucoup de gens seraient surpris d'apprendre quels médicaments ils consomment. Un grand nombre de personnes n'ont aucune idée de ce qu'elles prennent. Quand elles se rendent compte de ce qu'on leur donne, elles n'en croient souvent pas leurs oreilles. Elles sont horrifiées.

J'ai appris que ces médicaments avaient des effets secondaires bien réels. Je n'étais pas le seul à éprouver une fatigue excessive et une insensibilité presque totale. Je n'étais pas non plus le seul à souffrir d'une envie de bouger difficile à réprimer qui continuait à m'inquiéter dans la vie de tous les jours. Ce sont donc les neuroleptiques qui nous faisaient marcher de long en large dans l'aile psychiatrique et remuer les jambes quand nous étions assis. Les préposés, qui nous demandaient d'arrêter de bouger et qui menaçaient de nous punir, n'avaient pas l'air de le savoir. Il leur aurait pourtant suffi de diminuer les doses de nos médicaments pour qu'on cesse de s'agiter. Je me suis rendu compte aussi que les neuroleptiques peuvent occasionner d'autres dommages, parfois irréversibles, au système neurologique. Ces dommages se manifestent par des mouvements involontaires de la langue, des lèvres, des yeux, du cou, du tronc et des membres. Ce sont donc aussi les neuroleptiques qui faisaient bouger nos langues et nos mâchoires à l'hôpital sans qu'on le veuille.

J'ai aussi appris, entre autres, qu'il n'était pas bon de boire du café quand on prend des neuroleptiques. Le café neutralise certains effets calmants des neuroleptiques, et les psychiatres ne voient pas d'autre solution que d'augmenter les doses de médicaments pour obtenir le résultat voulu, alors qu'il suffirait de recommander la diminution de la consommation de café. C'est pour cela que la plupart des groupes d'entraide ont remplacé le café par des tisanes.

Les contacts que j'avais établis avec l'organisme qui m'a donné ces renseignements ont fini par déboucher sur le projet de me faire entreprendre un sevrage supervisé. Ce sevrage a probablement été l'un des premiers au Québec à être réalisé avec l'appui de groupes communautaires. Je savais que mon rétablissement psychologique viendrait après le sevrage parce que les responsables de mon groupe m'avaient convaincu que je n'étais pas un malade mental. Il était clair pour eux que les troubles mentaux n'étaient pas une maladie mais plutôt l'expression d'une profonde détresse psychologique. Je me sentais enfin épaulé, soutenu par des gens qui s'engageaient sérieusement à assurer mon rétablissement.

Les gens qui m'ont entouré pour ce sevrage m'ont beaucoup écouté et ont mis leur confiance en moi. Nous avons établi un plan de sevrage tous ensemble. Le sevrage s'est fait avec le concours d'un pharmacien qui a mis en pratique la technique de sevrage désignée sous le nom de méthode du 10 % [1]. Cette méthode consiste à diminuer progressivement les doses de médicaments par paliers de 10 % sur une période pouvant aller jusqu'à un an. Ainsi, les effets du sevrage s'en trouvent considérablement amoindris. Nous savions que d'autres l'avaient

1. Voir à ce sujet le chapitre sur le sevrage dans le *Guide critique des médicaments de l'âme* publié aux Éditions de l'Homme.

fait seuls ou avec l'aide de leur entourage. Mais dans mon groupe, j'étais le premier, je servais de cobaye. Les spécialistes qui ont supervisé mon sevrage connaissaient bien les effets physiologiques du sevrage des drogues, comme les tremblements, les maux de tête et les vomissements, mais ils étaient moins familiers avec les symptômes psychologiques du sevrage des médicaments. Je savais qu'il fallait que je m'arme de courage, que cette traversée serait douloureuse.

Les neuf mois qu'a duré mon sevrage supervisé ont été un calvaire. Les mêmes symptômes que pendant mon sevrage à froid se sont manifestés, mais avec moins d'intensité. La diminution des doses me mettait en état de manque physique, je sentais comme une pompe qui cherchait quelque chose dans mon corps. C'était pénible et encore plus souffrant que le trouble mental initial. Mais je savais que la délivrance m'attendait au bout de ce chemin. J'étais pris de tremblements, de sueurs. Je souffrais d'insomnies qui provoquaient d'autres déséquilibres. Sur le plan psychologique, je m'étais mis à être paranoïaque. J'avais l'impression que les joueurs de football que je voyais se concerter sur l'écran de ma télévision avant le début du jeu complotaient contre moi et que tout le monde m'en voulait. Quand j'étais submergé par des symptômes difficiles à surmonter, j'en parlais aux gens qui m'accompagnaient dans ce processus. Nous avions fait une recherche dans la documentation existante et constaté que la paranoïa était une réaction normale lors d'un sevrage. Cela m'a beaucoup aidé de le savoir. Je réussissais ainsi à me rendre compte que je n'avais pas raison de penser que tout le monde m'en voulait.

Un des effets du sevrage est de remettre la personne en contact avec les émotions gelées par la médication. J'ai pleuré pendant des semaines, d'une peine sans fond que je recommençais à goûter après ces mois d'insensibilité. J'ai recommencé à aimer, à éprouver de la haine. Toutes les émotions qui avaient disparu revenaient en force. La moindre contrariété prenait des proportions hors du commun. Il suffisait qu'il pleuve et que je ne puisse pas aller me promener dans le parc pour que je me mette à pleurer comme un enfant. En temps normal, je n'aurais jamais fait une dépression pour un contretemps aussi insignifiant, j'aurais tout simplement fait autre chose. Mais il était important que je me remette à faire l'expérience de mes émotions, même avec maladresse. Je voulais vivre, recommencer à avoir des projets, travailler.

J'étais en communication avec des gens qui étaient passés par une expérience de sevrage de drogues. En fin de compte, les symptômes se révélaient plus ou moins semblables. C'était important de pouvoir parler avec des gens capables de comprendre ce que je vivais. Il était nécessaire qu'ils m'assurent que c'était possible de mener à terme un sevrage: par moments j'étais si convaincu de ne jamais y arriver. J'étais aussi soutenu par les membres de mon groupe d'entraide à qui je pouvais téléphoner dès que je me sentais moins bien. Prêts à intervenir à toute heure du jour ou de la nuit sept jours par semaine, ils ne me jugeaient pas dans mes moments de faiblesse. Ils se montraient d'une patience infinie, supportaient mes sautes d'humeur et m'apportaient un réconfort qui m'a permis de passer à travers cet enfer.

Je savais aussi qu'il était important de me tenir occupé. Je multipliais mes visites dans les organismes communautaires qui acceptent que l'on travaille bénévolement une heure ou deux par-ci par-là quand on s'en sent l'énergie. Chaque victoire me remplissait de joie. En même temps, j'étais inquiet de voir disparaître ce filet de sécurité qu'avaient représenté pour moi les médicaments. Les dernières doses, qui étaient très faibles, ont été les plus difficiles à abandonner. Il m'a fallu longtemps pour laisser tomber cette dernière béquille.

L'épreuve du sevrage avait été longue. Pendant les deux premiers mois, j'avais même été tenté de mettre fin à mes jours. Mais j'avais appris peu à peu à me tourner vers des gens susceptibles de m'aider pendant ces durs moments, comme mes amis du Tournesol et les préposés de la ligne téléphonique de Suicide-Action. Ces tentatives représentaient plus des appels à l'aide qu'une volonté réelle de mourir. En fin de compte, qu'étaient ces quelques mois de souffrance quand on sait qu'ils m'avaient redonné la liberté de corps et d'esprit et que le soutien de mes amis m'avait rendu apte à reprendre ma place dans la société. Ce qu'on m'avait promis se réalisait. Je me sens réconforté à l'idée qu'aujourd'hui les gens désirant entreprendre un sevrage ne souffriront pas autant que moi puisqu'il est maintenant plus facile d'avoir accès à de l'information et à du soutien. Mais je conseille à tous ceux qui voudraient suivre mon exemple de le faire sous la supervision d'un professionnel de la santé qualifié.

Nous aurions trouvé logique que les médecins et les psychiatres acceptent de superviser ces sevrages. Après tout, ce sont eux les spécialistes du corps. Mais ils refusent de le faire. Faute d'obtenir leur collaboration, il a fallu se rendre à l'évidence que celle d'un pharmacien ou d'un spécialiste en toxicomanie ferait tout aussi bien l'affaire. Récemment, un médecin me disait que les psychiatres commencent à craindre d'être poursuivis en justice pour avoir prescrit des médicaments susceptibles de causer des dommages neurologiques permanents sans avoir avisé leurs patients de cette éventualité. Il avait ajouté: «À force d'avoir peur, ils deviendront intelligents.» Ce médecin accepte maintenant de superviser des sevrages. Les mentalités commencent à changer, le réseau de la santé, du moins dans la région où j'habite, s'ouvre progressivement à l'idée de mettre sur pied des services de sevrage de médicaments psychiatriques.

Commentaires

La prise de médicaments est un sujet constant de controverse dans les familles des personnes ayant des problèmes de santé mentale. En règle générale, la famille fait pression pour que les individus concernés prennent leurs médicaments et ces derniers essaient par tous les moyens de cesser d'en prendre. Évidemment, sans la clé pour sortir de la prison des médicaments psychiatriques, il n'y a pas vraiment de salut. Mais cette clé existe. Il suffit de détenir l'information qui nous y conduit. C'est ce qu'ont compris un bon nombre de personnes psychiatrisées, qui ont fait en sorte que ces renseignements soient rassemblés puis diffusés. Prendre la décision de continuer, de cesser ou de diminuer ses médicaments est souvent une démarche angoissante. C'est aussi une démarche hautement personnelle, et il n'est nullement question, dans notre esprit, de faire pression sur ceux qui tiennent à leurs médicaments pour qu'ils cessent d'en prendre. L'important est que la personne concernée se sente à l'aise avec sa décision et qu'elle trouve les moyens de la mettre en application.

Ici, aux États-Unis et ailleurs, des milliers de personnes, fières de se présenter comme des rescapés de la psychiatrie, les «psychiatric survivors», ont survécu au périple du sevrage et témoignent du bien-fondé de cette démarche. Beaucoup de gens seraient surpris de constater que les personnes qui entreprennent un sevrage supervisé selon les règles de l'art se débrouillent mieux, après s'être affranchies de leurs médicaments, qu'on aurait pu l'imaginer. Il faut dire que ces sevrages doivent absolument s'inscrire dans un contexte de soutien moral intensif, d'accompagnement émotif soutenu et de supervision rigoureuse par un professionnel de la santé qualifié. Tenter un sevrage en dehors de ces conditions, c'est risquer de courir à sa perte[2]. Nous verrons plus loin comment toute personne, si démunie soit-elle, peut obtenir ce soutien.

La préoccupation la plus grave concernant les sevrages n'est pas l'intensification passagère éventuelle des manifestations psychotiques, mais bien les risques de suicide. Il faut dire que les schizophrènes ont, naturellement, un taux de suicide assez élevé. L'interruption de la médication constitue une importante épreuve physique et psychique, et, on le comprendra, toute épreuve est associée à des risques. Cette épreuve

2. Voir à ce sujet le chapitre sur le sevrage dans le *Guide critique des médicaments de l'âme* publié aux Éditions de l'Homme.

n'existerait pas si, en premier lieu, on s'était abstenu de donner à ces personnes des médicaments dangereux jusque dans leur sevrage. Il ne faut toutefois pas monter ces risques en épingle. Contrairement à ce que l'on pourrait croire, c'est parfois le sevrage des calmants en apparence anodins, comme le Xanax, et des antidépresseurs, comme le Prozac, qui provoque les réactions les plus violentes. Ce sevrage est somme toute similaire au sevrage des drogues dures et il comporte les mêmes risques. C'est pourquoi, d'ailleurs, les personnes qui entreprennent de se sevrer des drogues dures suivent des cures dans des centres de désintoxication. Ces risques, on les prend quand il s'agit de drogues dures, on les prend quand il s'agit de calmants. On peut donc les envisager raisonnablement pour le sevrage des neuroleptiques. Pour ce qui est des tentatives de suicide de Luc, il affirme qu'elles constituaient plus des appels à l'aide qu'une volonté d'en finir une fois pour toutes. C'est pourquoi il faisait en sorte qu'elles ne soient pas fatales.

Sensible aux représentations faites par des groupes de défense des personnes ayant des troubles de santé mentale, le ministère de la Santé et des Services sociaux du Québec commence à prendre conscience de l'intérêt de mettre sur pied des services officiels de supervision de sevrage de médicaments psychiatriques, comme cela existe pour le sevrage des drogues. On peut donc souhaiter que d'ici quelques années ces services deviendront accessibles à tous ceux qui en ont besoin. En attendant, le réseau alternatif continuera, dans la mesure du possible, de mettre à la disposition de ceux qui en expriment le désir les moyens dont il dispose.

«Au cours du rite, l'officiant nous avait invités à charger la pierre qu'il nous avait remise de tous les actes que nous nous reprochions, et de nous débarrasser de ces fautes en lui redonnant la pierre.»

Les durs réajustements à la vie

J'avais réussi à me sevrer, mais je n'étais pas pour autant sorti du bois. Le fait d'échapper à l'impuissance me remettait sur une avenue qui m'était familière, celle de la violence. J'avais toujours été violent, extrémiste. Il me fallait apprendre à me comporter selon un juste milieu. J'ai cessé d'être violent le jour où j'ai cessé de l'être avec moi-même. Il m'a fallu quelques mois et quelques rencontres miraculeuses pour réussir cette transformation. J'allais apprendre que lorsqu'on fait des efforts soutenus pour s'en sortir la vie se charge de nous donner des outils pour y parvenir. Grâce à la fréquentation de mon groupe d'entraide, je suis entré en communication avec des personnes qui avaient réussi à se débarrasser de leurs troubles mentaux.

L'une d'entre elles est devenue un grand ami. Il était difficile de croire qu'il ait jamais eu de problèmes tant ses yeux pétillaient de bien-être. Quand je l'ai rencontré, il travaillait comme intervenant dans le domaine de la santé mentale. Nous ne nous sommes plus quittés. Il est devenu mon modèle. Au début, nous nous téléphonions tous les jours. Nous passions des heures à discuter de choses profondes. Nous avons ensemble fréquenté plusieurs groupes d'entraide qui, chacun avec sa compétence propre, m'ont apporté une aide efficace. Ces démarches m'ont énormément aidé. Je lui ai demandé un jour pourquoi il faisait cela pour moi. Il m'a répondu que ce qu'il faisait, il le faisait pour lui: pour conserver sa sérénité il avait besoin de transmettre ce qu'il savait.

Il avait compris que la culpabilité de mes actes passés me minait. J'étais rongé par le remords et je me haïssais d'avoir été aussi ignoble dans ma vie. Ce fardeau m'avilissait, cette haine envers moi-même nuisait à mon rétablissement. Un jour, il m'a demandé de faire un inventaire de tous les actes que je me reprochais et qui faisaient que je m'en voulais à mort. Il comparait cela à un inventaire d'entreprise sans lequel aucun commerce ne peut assurer son fonctionnement et sa survie. Il m'a simplement dit: «Tu vas mettre tout cela sur papier et tu vas demander pardon à Dieu.» Il m'a recommandé de faire le tour de tout ce que je n'avais jamais été capable d'avouer à qui que ce soit et de faire une liste des actes que je ne me pardonnais pas.

Pour obtenir mon absolution, j'étais allé voir un prêtre. J'avais commencé par l'insulter en lui disant que je détestais la religion et les prêtres, et que Dieu ne me pardonnerait jamais. Après avoir reculé d'un pas, il s'est incliné en me demandant pardon au nom de la religion. En l'espace d'un éclair, je lui avais pardonné et j'ai su que je pouvais être pardonné. Après m'être confessé, je me suis senti soulagé d'un immense fardeau. Libéré, je pouvais recommencer à neuf, accepter de vivre enfin avec moi-même.

Aujourd'hui, je me rends compte que bien des gens traînent des fautes qu'ils n'arrivent pas à se pardonner. Pour se punir, ils se mutilent, fuient dans un monde imaginaire et aboutissent à l'hôpital psychiatrique. Les hallucinations sont souvent liées à ce sentiment de culpabilité. Je sais aussi qu'ils ne sont pas les seuls à se sentir rongés par leurs fautes. Bien des anciens prisonniers vont voir leur médecin pour lui demander de les geler avec des médicaments afin de fuir cette réalité. J'en ai connu par la suite qui ont réussi à se libérer de la médication parce qu'ils s'étaient pardonnés.

Deux ans plus tard, j'ai fait une retraite dans un monastère, retraite organisée par mon groupe d'entraide. Les pères nous avaient fait participer à une cérémonie du pardon. J'étais fasciné par la profonde connaissance de l'être humain dont ils faisaient preuve et par leur capacité d'intervention en situation de crise. Pendant la cérémonie, un des participants s'était mis à être agressif. Un père s'était approché de lui pour lui parler doucement et l'éloigner du groupe. Il l'avait invité à exprimer ses préoccupations et encouragé à laisser couler ses larmes. Il lui avait fait sentir qu'il comprenait ses émotions et avait ainsi réussi à désamorcer la crise sans que la cérémonie soit interrompue. Dire que dans l'aile psychiatrique on me disait que je perturbais les autres quand je faisais une crise, et que des soi-disant spécialistes de l'âme humaine m'agressaient sauvagement pour me maîtriser. Au cours du rite, le père qui présidait la cérémonie nous avait invités à charger la pierre qu'il nous avait remise de tous les actes que nous nous reprochions et de nous débarrasser de ces fautes en lui redonnant la pierre. Le simple fait d'accomplir ce geste a permis à plusieurs d'entre nous de se sentir libérés.

J'avais un autre problème de taille. Après des mois d'impuissance sexuelle attribuable aux médicaments psychiatriques, je me suis trouvé aux prises avec un retour particulièrement vigoureux de ma sexualité. J'avais peur de me livrer à des gestes irréfléchis. J'avais l'impression de retomber dans une immaturité sexuelle qu'aucune barrière logique ou morale ne pouvait arrêter. Il m'était difficile de garder la maîtrise de moi-même, c'était particulièrement éprouvant. Il a fallu que j'apprenne à surmonter cet état, et les gens du groupe d'entraide m'ont été d'un grand secours. Cette période difficile a duré près d'un an. Quand je me sentais dans un état que je jugeais inquiétant, j'appelais des amis qui avaient vécu des situations semblables. Ils m'apportaient leur soutien jusqu'à ce que cela passe. J'estime qu'il est important d'être conscient de cette vulnérabilité passagère qui se manifeste parfois à la suite d'un sevrage afin d'éviter de se retrouver dans des situations qui pourraient occasionner une rechute.

Mes cicatrices psychologiques ne m'aidaient pas non plus à établir des relations normales avec les femmes. Dès que je commençais à éprouver un sentiment pour une femme, je me refermais comme une huître. Comme dans la chanson, quand je voyais une femme, je faisais un grand détour ou je fermais les yeux. Il a fallu qu'un jour je tombe amoureux d'une femme exceptionnelle pour que j'ose franchir cette barrière et que je me mette à l'aimer comme «un fou». J'ai pu à partir de ce moment établir d'excellentes relations d'amitié avec d'autres femmes.

J'étais épaulé, j'étais soutenu, mais j'avais toujours l'impression d'avoir sur le front une étiquette sur laquelle il était écrit «malade mental», même quand mon état de santé mentale était devenu très bon. Il me restait une cicatrice semblable à celles que j'avais eues dans le dos à la suite de l'opération qui devait me redonner l'usage de mes jambes après mon accident. Le médecin m'avait assuré que j'arriverais à marcher et à faire du sport normalement. Mais, dans ma tête, j'avais toujours peur de redevenir paralysé et je m'abstenais de faire de l'exercice physique pour cette raison. Jusqu'au jour où j'ai osé dépasser cette crainte qui m'empêchait de profiter de la vie, où j'ai osé enfiler des skis pour aller à la conquête de ce qui m'apparaissait impossible. À ma grande surprise, cet exploit n'avait pas donné lieu au retour de la paralysie. J'avais repris ma liberté physique. La cicatrice relative à mon état mental, j'ai presque complètement réussi à la faire disparaître en osant m'accorder les mêmes droits que les autres humains, en me donnant le droit d'aimer et d'être aimé.

Il y avait encore une chose que j'acceptais mal. Je supportais peu que les gens que j'aimais ou qui auraient dû m'aimer puissent avoir des comportements qui me contrarient. Je voulais que les gens changent, qu'ils adoptent des comportements plus éclairés. Mes efforts pour modifier leurs réactions débouchaient sur des échecs qui me frustraient au plus haut point. Je louais alors une chambre chez un ami, un ex-alcoolique et ex-toxicomane qui avait acquis une grande philosophie de la vie. Nous discutions pendant des heures des complexités de l'âme humaine, et nous étions vite devenus des frères spirituels inséparables. C'est lui qui a mis fin à mon exigence qui ne menait nulle part. Un jour que nous nous promenions dans un cimetière, il s'est arrêté devant une pierre tombale et m'a demandé de regarder fixement cette pierre grise jusqu'à ce qu'elle devienne blanche. Je ne me suis pas gêné pour lui dire qu'il devait être tombé sur la tête pour faire une demande aussi folle. C'est alors qu'il m'a expliqué que c'était exactement ce que je voulais faire en essayant de changer les gens.

Quand nous étions allés jouer au golf, il m'avait fait une remarque dans le même sens. Il m'avait montré que lorsqu'on est crispé en frappant la balle avec le bâton, celle-ci ne va jamais là où on le désire. Il avait ajouté que je devais toujours me souvenir de l'exemple de la balle de golf sur laquelle il était inutile de forcer. Selon lui, c'était la même chose avec les êtres humains. On ne pouvait les forcer à devenir conformes à l'image que l'on voulait avoir d'eux. On pouvait bien modifier quelques-unes de leurs manies, mais les traits de caractère d'une personne ne pouvaient être corrigés que si cette personne décidait elle-même de le faire. «Si tu t'obstines à forcer les autres à changer, avait-il ajouté, ta relation n'ira jamais là où tu le désires. Il faut accepter les gens tels qu'ils sont. Tu peux par contre aider les gens à mieux se connaître, et cette connaissance pourra éventuellement déboucher sur les changements espérés. On a tous cette capacité d'aider les gens à mieux se comprendre.»

Grâce à l'amitié des gens des groupes d'entraide, j'allais déjà tellement mieux, mieux que jamais. Il faut dire que j'avais donné mon temps sans compter dans ces groupes. Je comprenais l'importance de me tenir occupé. Déjà bien avant mon hospitalisation, quand j'avais été forcé de rester à la maison pendant quatre ans après mon accident de travail, j'avais commencé à devenir actif dans le comité de parents et le conseil d'orientation de l'école de mes enfants. Je me considérais alors comme un moins que rien, mais j'avais à cœur l'éducation de ma fille et de mon fils. Je m'y étais donné à temps plein. Plus je donnais du temps, plus je me sentais bien.

Dans ces comités, je côtoyais des professionnels à qui je demandais des conseils pour les études de mes enfants et, peu à peu, j'avais eu la possibilité de parler avec ces gens que je croyais auparavant inaccessibles de sujets auxquels ils s'intéressaient également. J'étais flatté qu'ils ne me rejettent pas et j'apprenais en même temps. J'étais cependant mal à l'aise de parler devant un groupe. Un membre du comité dont le métier consistait à former des orateurs m'avait expliqué les principes à appliquer pour établir une communication efficace avec le public. Je ne savais pas que ses conseils me deviendraient très utiles par la suite. Je connaissais donc les bienfaits du bénévolat. Déjà à l'hôpital, j'avais commencé à vouloir défendre les droits des pensionnaires de l'aile psychiatrique sans connaître d'ailleurs ces droits; je ne pouvais supporter les injustices que j'y voyais. Ma sœur me disait d'ailleurs constamment que je n'étais pas à l'hôpital psychiatrique pour syndiquer les patients.

À la suite de mon hospitalisation, j'avais donc été heureux non seulement d'être accueilli par un groupe d'entraide, mais aussi de trouver l'occasion de me dévouer et de reprendre ainsi confiance en moi. Je m'apercevais que j'étais utile, on venait me voir pour me demander de l'aide. Je constatais que je n'étais pas aussi insignifiant que je le croyais, et j'en étais fier. En aidant les autres, je m'aidais aussi. C'est là, à mon avis, un aspect important du rétablissement.

Au risque de choquer, j'aime provoquer les gens en leur disant que si l'on reste assis sur son cul on obtient un rétablissement de cul. C'est à l'individu qu'il revient de bâtir son rétablissement. Ce n'est pas en restant à se bercer chez soi en attendant que les hallucinations et les paranoïas partent d'elles-mêmes qu'on arrive à s'en sortir. Rester enfermé chez soi, c'est la meilleure façon de devenir fou pour de bon. Quand on est seul, on devient vite en manque de pilules pour combler le vide qui nous entoure et on s'engourdit dans la médication. Il faut au contraire se lever, agir. Je sentais inconsciemment que c'était là la voie à emprunter pour acheter un peu d'estime envers moi-même et tenter d'effectuer un retour à la vie. J'avais entendu quelque part que l'être humain avait besoin d'un minimum de dix contacts par jour pour garder sa santé mentale. En assurant des fonctions d'accueil dans mon groupe, je me donnais la possibilité d'établir ces dix contacts. En prenant des responsabilités dans ce cercle, je devenais également une personne utile et estimée. J'effaçais ainsi peu à peu le mépris que je me portais.

Les personnes que j'ai rencontrées dans les organismes de défense des droits des personnes ayant des troubles mentaux m'ont convaincu aussi que les sentiments d'injustice que j'avais ressentis avaient leur raison d'être. J'ai réalisé que ceux qui nous soignent en psychiatrie ne tiennent pas compte de la politique québécoise de santé mentale adoptée en 1989 qui insiste sur la primauté de la personne souffrant de troubles mentaux. J'ai constaté qu'ils ne prennent pas la peine de respecter les lois qui garantissent notre intégrité physique et notre liberté d'accepter ou de refuser un traitement. Je suis donc devenu très actif au sein de ces organismes, ce qui m'a d'ailleurs valu les représailles de mes psychiatres au moment où j'allais encore les voir. Je n'étais pas animé par l'esprit de vengeance, je voulais surtout que ce que j'avais vécu n'arrive pas à d'autres.

Moi que les psychiatres disaient passif et primaire, je découvrais que j'avais des capacités et de l'initiative et que je pouvais faire avancer des dossiers, établir des stratégies. J'étais motivé par la volonté d'aider ceux qui étaient encore aux prises avec la psychiatrie traditionnelle. Ce militantisme a contribué à l'amélioration de mon état mental. En revendiquant mes droits et ceux des autres, je me réappropriais le pouvoir sur ma vie, je devenais de plus en plus maître de ma personne, je gagnais la force de demander qu'on me traite avec dignité. Pour cela, je devais aussi accepter de me traiter moi-même avec dignité. Le soutien inconditionnel de mon groupe d'entraide a fait le reste pour assurer mon rétablissement.

En fréquentant ces divers groupes, je me suis aperçu un jour qu'un de mes collègues et amis dont j'admirais le dévouement était homosexuel. Depuis mon viol par mon cousin à l'âge de onze ans, j'avais toujours associé l'homosexualité à la pédophilie. Mais pour rien au monde je ne me serais senti le cœur de sacrifier cette amitié aux préjugés que m'inspiraient les homosexuels. J'ai donc pris mon courage à deux mains pour lui exprimer les difficultés que j'éprouvais à accepter l'homosexualité. Après cette conversation, je me suis rendu compte que c'était un homme comme les autres, mis à part son orientation sexuelle, et qu'il avait une relation de couple durable et un emploi stable. Cet ami m'a dit, de plus, qu'il réprouvait les actes de pédophilie qui, d'ailleurs, pouvaient être perpétrés autant par des homosexuels que par des hétérosexuels. Notre amitié était sauve. Cette constatation m'enlevait une épine du pied, car je savais que je ne pourrais trouver de sérénité intérieure réelle tant que je serais habité par la haine. Aujourd'hui, je me permets de taquiner cet ami, qui n'a jamais eu de problèmes de santé mentale, en lui disant: «Si je me fie au DSM[1], cette bible diagnostique de la profession psychiatrique, tu es un ex-malade mental, car, de 1968 à 1974, le DSM a considéré l'homosexualité comme une maladie mentale.»

Il restait plusieurs autres questions en suspens pour assurer la stabilité de ma santé mentale, comme la garde des enfants, mon retour sur le marché du travail et la persistance d'effets secondaires des médicaments. Mon ex-femme voulait me retirer mes droits de paternité; je risquais de perdre mes enfants. Mon avocat m'avait conseillé de demander, dans un premier temps, une garde supervisée. Je serais momentanément privé du droit de voir mes enfants seul, mais ce serait

1. *Manuel diagnostique et statistique des troubles mentaux.*

perçu comme une preuve de maturité par le juge, m'avait-il assuré. Cette tactique avait fini par porter fruit: quelques mois plus tard, j'obtenais un droit de visite sans supervision qui m'a permis de me rapprocher davantage de ces enfants que j'aimais par-dessus tout. Je n'avais jamais caché à ma fille et à mon fils l'existence de mes problèmes de santé mentale, je ne leur ai jamais compté d'histoires. Cela ne m'a pas empêché d'avoir des relations normales avec eux. De toute manière il m'aurait été difficile de leur dissimuler mon état étant donné l'impressionnante quantité de médicaments qu'ils m'avaient vu prendre et mes hospitalisations dans l'aile psychiatrique.

Quant aux médicaments, leur effet se faisait encore sentir par moments même après le sevrage, d'une façon qui me paraissait inexplicable. J'ai compris par la suite que, à l'occasion d'une grippe ou de toute autre circonstance entraînant un amaigrissement, les résidus de médicaments emmagasinés dans mes graisses se libéraient dans mon sang: la désintoxication n'était pas encore complète. J'éprouvais aussi parfois une irrésistible envie de remuer sans raison, et j'étais furieux de constater que les médicaments affectaient encore mon système neurologique. Il m'a fallu attendre deux ans après mon sevrage pour constater une diminution progressive de cet effet secondaire inquiétant. J'étais soulagé de voir disparaître ainsi la dernière emprise sur moi des médicaments qu'on m'avait administrés.

Pour ce qui est du retour au travail, l'avenir allait me réserver des surprises.

Commentaires

Il ne suffit pas d'être passé au travers de l'épreuve du sevrage pour s'estimer sorti de ses problèmes de santé. C'est ce que Luc a appris durement, mais, en fin de compte, avec grand profit. L'énorme soutien qu'il a reçu de la part de ses groupes d'entraide lui a permis de reprendre confiance en lui, de faire un ménage de fond en comble de sa vie et de réussir à faire les ajustements émotifs lui permettant de reprendre la voie de la vie normale.

L'après-sevrage constitue un défi de taille. Ce défi est d'autant plus important que les personnes qui s'éveillent à la vie après avoir été anesthésiées physiquement, intellectuellement et émotivement depuis des mois et des années se mettent à revivre leurs sensations et leurs émotions avec une intensité accrue. C'est un moment particulièrement délicat du processus de rétablissement. Sorties de leur engourdissement, les personnes qui ont cessé de prendre des médicaments ouvrent les yeux sur une réalité souvent dure pour elles. La colère d'avoir été traitées avec peu de respect pendant longtemps fait surface avec une violence difficile à endiguer. La désillusion, l'humiliation et la culpabilité sont aussi au rendez-vous, mais cette fois-ci avec une virulence inaccoutumée. C'est un moment dur à passer tant pour la personne sevrée que pour son entourage, qui risque de faire les frais de ces ressentiments. Rien ne sert de désespérer: le temps, les rencontres fructueuses et l'engagement dans des activités valorisantes ont le pouvoir de transformer cette rage en une énergie productive. C'est ce qui est arrivé à Luc et à bien d'autres.

Grâce aux influences auxquelles il a été exposé, Luc a fini par acquérir une maturité étonnante. Il est maintenant en mesure de comprendre les réactions de sa mère et, au-delà de la mort, celles de son père. Il les estime désormais tous deux et leur porte un grand amour. Quiconque rencontrerait la mère de Luc pourrait témoigner que c'est fondamentalement une bonne personne. Le père de Luc était aussi de son vivant un homme estimé. Ce qui n'a pas empêché le drame du trouble mental de se produire, drame dont ils portent probablement une part de responsabilité, maintenant admise dans la dignité.

Certains parents auraient d'ailleurs la possibilité, avec beaucoup de bonne volonté et de courage, de jouer un rôle de premier plan dans cette opération de désamorçage des crises identitaires et existentielles qui semblent caractériser l'expérience psychotique. Leur rôle peut paraître terriblement ardu en raison de l'hostilité rageuse que leur manifestent souvent leurs enfants, qui les accusent parfois des pires maux. Ces accusations, déformées par le délire ou même inventées si les enfants sont sujets à des accès de paranoïa, sont souvent formulées en termes inacceptables pour les parents. L'extravagance du délire sert toutefois d'indicateur de l'intensité de la douleur, et son message est de faire comprendre que la blessure ressentie est tout aussi inacceptable que les propos tenus.

Un parent désireux d'aider son enfant doit reconnaître cette douleur et essayer d'amener celui-ci à parler de ce qui le trouble en restant ouvert à toutes les critiques formulées, qu'elles soient fondées ou non. Il doit aussi savoir accepter en son âme et conscience ses torts, s'il en a, et avoir l'humilité de les reconnaître devant son enfant. Il doit enfin essayer de comprendre la dynamique familiale qui a souvent présidé à l'apparition du trouble mental et obtenir de l'aide afin de voir comment cette dynamique pourrait être modifiée pour favoriser des relations plus saines avec son enfant. Ce parent doit toutefois éviter de se morfondre dans un sentiment de culpabilité qui ne ferait que desservir tout le monde. Le jeu des accusations et de l'auto-accusation risque en effet de ne faire que des perdants. L'énergie des parents a donc avantage à être investie dans l'établissement de ponts de communication honnêtes et dépourvus d'agressivité avec leur enfant. C'est, on le comprendra, un processus susceptible d'être douloureux. Ce n'est pas du jour au lendemain que la personne atteinte de troubles mentaux pourra accorder à l'interlocuteur auquel elle est initialement hostile, à tort ou à raison, la confiance nécessaire au rétablissement d'un échange fructueux. Les parents qui ont un désir réel d'aider leur enfant doivent accepter avec maturité d'avoir devant eux plusieurs mois si ce n'est plusieurs années de rapports tumultueux avant de retrouver un contact normal avec lui, la colère et les états psychotiques étant généralement longs à ventiler. Il y a toutefois des chances que leurs efforts soient récompensés.

Cela ne veut pas dire non plus que les parents qui admettent des torts soient nécessairement mauvais. Des parents tout à fait corrects peuvent, dans le quotidien de la vie familiale, avoir sans s'en rendre compte une influence destructrice sur leurs enfants ou ne pas prendre conscience que des personnes extérieures à la famille exercent une telle influence. Plusieurs de ces parents viennent parfois eux-mêmes de familles dysfonctionnelles et ne font que reproduire les comportements qui les ont eux-mêmes blessés. Parfois, aussi, ils sont mis à rude épreuve dans leur vie et sont un peu dépassés par les événements; leurs enfants paient le prix de cette impuissance. Ces parents ont, en quelque sorte, souvent besoin de presque autant d'aide et de compréhension que leurs enfants. Dans ce sens, le rétablissement d'un enfant peut s'avérer une occasion de croissance réciproque.

Dans les cas où les parents continuent de nier leurs torts, s'ils en ont, ou d'avoir un comportement de domination, il est souvent souhaitable que les personnes psychotiques désirant se rétablir coupent les ponts avec leurs parents quand elles trouvent en contrepartie un milieu valorisant où elles peuvent établir les contacts leur permettant de se reprendre en main.

De leur côté, les personnes psychotiques ont souvent aussi accumulé certains torts envers leurs proches et la société. Il serait probablement inutile et improductif de leur adresser des reproches et de leur mettre ces torts sous le nez. Les sentiments de culpabilité les rongent souvent déjà bien suffisamment.

Les représentants de l'Association québécoise des parents et amis du malade mental et de la Fédération des familles et amis de la personne atteinte de maladie mentale sont conscients du fait que les parents éprouvent de grandes difficultés à faire face à la présence de trouble mental dans leur famille. L'un d'eux résume bien la situation: «Le trouble mental d'un enfant affecte l'équilibre du couple parental. Pour que les parents puissent intervenir de façon appropriée, il faudrait qu'ils aient une santé mentale exceptionnelle, ce qui n'est pas le lot de toutes et de tous. Par ailleurs, l'intensité de la relation entre les parents et l'enfant rend difficile l'intervention positive.» Ces associations suivent avec intérêt la mise en place de soins alternatifs et sont disposées à offrir un grand soutien aux parents qui désirent contribuer de la façon la plus efficace possible au rétablissement de leur enfant.

Mis à part l'importance de l'aide apportée par le milieu, un des principaux messages du récit de Luc est de faire comprendre aux personnes qui ont des problèmes de santé mentale qu'elles sont le principal moteur de leur rétablissement. L'engagement dans l'action, la recherche de rencontres positives et de solutions doivent devenir un travail à plein temps pour s'assurer de résultats satisfaisants. Nous avons vu plus haut que Luc s'est entre autres lancé dans la défense de ses semblables et que cette activité a eu une grande valeur thérapeutique pour lui. C'est d'ailleurs la voie que choisissent de nombreuses personnes en voie de rétablissement. Cette démarche est fondamentalement saine, car elle favorise la réappropriation de la dignité si essentielle au recouvrement de la santé mentale. Luc, qui avait toujours pensé être le dernier des insignifiants, a ainsi fini par se retrouver sur le conseil d'administration de plusieurs organismes. Il n'est pas le seul à avoir franchi cet énorme pas. Le milieu des groupes d'entraide encourage ceux qui le fréquentent à se tailler une place dans des comités auxquels ils n'auraient jamais pu auparavant rêvé d'appartenir. Ces comités recrutent ainsi des membres valables dont certains étaient hier encore institutionnalisés. Ce phénomène semble assez universel. Les «psychiatric survivors» américains sont aussi connus pour leur militantisme et leur travail remarquable dans le domaine de la défense des personnes souffrant de troubles mentaux.

La satisfaction de son travail bénévole aidant, Luc s'est donc finalement construit une estime de soi qui ne l'abandonnera plus.

«... Je me sentais comme un acrobate sur un fil de fer
qui ne sait plus dans quel monde il va tomber,
du côté de l'enfer ou du côté de ses amis
qui lui tendent les bras.»

La gestion des troubles mentaux

Lors du lancement du *Guide critique des médicaments de l'âme*, j'avais été appelé à faire la tournée d'un grand nombre de groupes d'entraide dans toutes les régions du Québec en tant que porte-parole de l'AGIDD. J'ai rencontré lors de cette tournée beaucoup de gens qui s'étaient rétablis de leurs troubles mentaux et qui étaient heureux de voir que l'un d'entre eux osait s'afficher publiquement. De très nombreux autres, en voie de rétablissement, venaient me voir pour me confier à quel point ils étaient heureux de prendre progressivement en main leur santé mentale grâce au soutien de leur groupe d'entraide et d'accéder à une qualité de vie qu'ils n'auraient jamais cru possible auparavant. Dans ces milieux, il devenait évident que ces rétablissements ne pouvaient s'opérer qu'en s'écartant de la psychiatrie traditionnelle. Comme porte-parole, j'avais eu l'occasion de faire de nombreuses apparition à la télévision. Ils m'avaient vu aussi dans le vidéo *Qu'est-ce qui cloche, mon corps résonne?* largement diffusé dans les groupes d'entraide.

Pour ceux qui cherchaient un moyen de s'en sortir, j'étais devenu un modèle.

Ils voulaient savoir comment je faisais pour gérer mon trouble, pour éviter les hospitalisations. Ils m'ont réclamé un livre sur la question. Cela tombait bien, j'avais l'intention d'en faire un et Suzanne Cailloux-Cohen, la journaliste qui avait travaillé à la rédaction du *Guide critique des médicaments*, avait exprimé son intérêt d'écrire un livre avec moi. La préparation de ce livre a été pour moi une excellente thérapie. Je recommande à tous ceux qui veulent exorciser leur passé de mettre sur papier, de raconter ou d'enregistrer le récit de leur vie.

Je sais combien il est difficile de se sortir des sables mouvants de la psychiatrie, surtout quand on nous dit que nous sommes irrécupérables. Comment ne pas déprimer devant une telle perspective? Pourquoi ferions-nous l'effort de nous en sortir dans ces conditions? Je sais aussi que, pour garder ma santé mentale, je dois me porter à l'aide de tous ceux qu'on a voulu condamner à perpétuité à leur folie, et je ne pourrai jamais cesser de le faire. C'est pourquoi je n'hésite pas à partager l'expérience que j'ai acquise. Je sais qu'en parlant de mon cas je résume l'expérience d'un très grand nombre de personnes qui ont, chacune à leur manière, trouvé une porte de sortie à leur folie.

Si j'arrive aujourd'hui à garder ma santé mentale, c'est que j'ai réussi à élaborer des stratégies. J'ai entre autres une méthode que j'ai baptisée l'échelle de 1 à 5 et qui peut être adaptée à différents cas. Dans mon cas, quand je suis au degré 1, c'est que tout va bien; ma santé mentale est excellente. Je peux dire que j'ai atteint le degré 2 quand cela fait deux jours que je ne me suis pas lavé les cheveux et rasé. Chez moi c'est un signe que mon équilibre mental se détériore. Je visualise maintenant ce stade comme si le feu de circulation de mon état de santé passait au jaune. Je considère que toute personne qui sent que son cerveau commence à s'engourdir, qui a l'impression d'être envahie par des millions de fourmis, que les meubles se mettent à bouger tout seuls ou que le fantôme de leur père se met à leur parler a atteint le degré 3. Arrivé à ce stade, je commence à m'isoler et à fermer les rideaux. C'est que j'ai atteint un seuil critique.

Si je ne réagis pas immédiatement, je risque de perdre la maîtrise de moi et de me retrouver à l'hôpital. Ce genre de détérioration se produit parfois quand j'ai mal dormi les jours précédents: l'ennemi numéro un de la santé mentale est sans conteste le manque de sommeil. À ce stade, la marge d'erreur est mince, et il est grand temps que je fasse quelque chose pour me calmer sinon j'atteint le niveau d'urgence. Le niveau 4 est, pour moi, l'équivalent d'un feu rouge qui clignote. Il me devient presque impossible de revenir au niveau 3, mais des calmants peuvent parfois empêcher l'escalade. Au niveau 5, il est trop tard, je vais très mal et je dois être hospitalisé.

Grâce à cette échelle, je peux généralement détecter les signes avant-coureurs de la dégradation mentale. Quand j'arrive au degré 2, je commence donc à m'inquiéter et je vais chercher de l'aide. Mes proches maîtrisent assez bien les techniques d'aide et il leur suffit souvent de m'apaiser par des caresses ou des propos rassurants et de m'envoyer me réfugier dans le sommeil, ce qui a pour effet de neutraliser mon exaspération et de me libérer de l'état malsain dans lequel je risque de sombrer. Au réveil, je me sens frais et dispos, prêt à repartir sur un bon pied. Pour éviter toute mauvaise surprise au cas où je ne serais pas assez perspicace pour me rendre compte de mes changements de niveaux, j'ai donné le mandat à mes proches et à mes amis de me signaler sans ménagement toute détérioration de mon état mental. Je les appelle mes garde-fous, ils constituent mon filet de sécurité. Quand ils voient que je commence à me comporter de façon suspecte, ils sont chargés de me le dire, de sonner l'alarme pendant qu'il est encore possible de me récupérer. Cela se produit relativement peu souvent, généralement à l'occasion d'un stress énorme ou d'un chagrin important, au plus une ou deux fois par année.

J'ai dû changer mon attitude à l'égard de ces amis. Il faut dire qu'avant j'étais convaincu de détenir la vérité, et je n'écoutais personne. En confiant ce mandat à mes proches, je me suis engagé à les écouter, même si je n'aime pas particulièrement qu'on me dise que mon état mental se dégrade. Je ne les envoie plus promener, je fais l'effort de les écouter jusqu'au bout et de prendre leurs commentaires en considération. Étonnamment, mes amis me disent que cela ne leur demande pas un effort extraordinaire de me soutenir. Ils trouvent cela normal.

Il faut savoir que, passé un certain stade, la crise est inéluctable. Il devient en effet impossible de calmer la personne qui sombre dans la crise: celle-ci ne voit rien, ne sent rien de ce qui l'entoure. Tout contact physique est alors perçu comme une agression et toute tentative de raisonnement devient inutile. D'où l'importance de désamorcer au plus vite la montée de la crise avant que le point de non-retour soit atteint.

Avec l'expérience, j'ai appris que l'acceptation de ma vulnérabilité me permettait de prendre les moyens d'assurer ma santé mentale. Pendant de nombreuses années j'avais trouvé important de nier cette vulnérabilité, je n'acceptais pas d'être «fou». Si je m'étais obstiné à refuser ma condition, je n'aurais jamais pu découvrir l'aide qui m'a permis de m'en sortir.

J'ai ainsi échappé à plusieurs moments de stress intense qui auraient pu tourner au désastre. L'un d'entre eux avait toutefois failli dégénérer. Je vivais depuis plusieurs mois avec une femme remarquable qui était toute ma vie. Elle acceptait mes problèmes de santé mentale, elle qui n'en avait jamais eu. Je dois dire que ma santé mentale était à ce moment-là déjà assez bonne. Elle savait réagir avec doigté à toute situation, et nous avions une relation très tendre. Je raconterai toujours cette anecdote à son sujet. Un jour, j'étais allé voir un médecin à qui j'avais fait part de mes difficultés de mémoire: j'oubliais mes rendez-vous, il m'arrivait d'être un peu perdu dans le temps. Le médecin m'a répondu: «C'est très simple, je vais vous prescrire un médicament.» Je n'ai évidemment pas tenu compte de cette prescription et, en entrant à la maison, j'ai formulé la même inquiétude à ma conjointe. Elle m'a répondu: «Mon amour, mon chéri, c'est très simple, tout ce dont tu as besoin, c'est d'un agenda électronique, et je vais t'en offrir un.» Depuis que je me sers de cet agenda, je ne rate plus mes rendez-vous et je ne me trompe plus de date.

Nous avions prévu nous fiancer à Noël. Nous nous aimions profondément. Le mariage est pour moi une institution sacrée, et il était important d'officialiser mon engagement envers ma conjointe. Quelques jours avant les fiançailles, elle me dit qu'elle y mettait une condition: que je cesse de fréquenter les groupes d'entraide en santé mentale. Ce fut un choc terrible pour moi. Ceux qui sont familiers avec la dynamique de ces groupes savent bien que les personnes qui ont réussi à se rétablir grâce à eux ne peuvent se résigner à cesser de tendre la main à ceux qui luttent encore pour leur santé mentale. C'est pour elles une question d'équilibre mental. L'idée de les abandonner m'aurait rendu fou de douleur. Renoncer à les fréquenter, c'était aussi m'exposer à perpétuité à l'idée déchirante que j'aurais pu ne jamais être secouru. C'était également perdre le contact avec des gens avec qui je pouvais avoir des discussions philosophiques d'une profondeur impossible à trouver ailleurs et indispensables à mon cheminement. C'était risquer de perdre l'aide qui ne pourrait cesser de m'être utile. Je ne pouvais visiblement, en mon âme et conscience, accepter ce choix qu'on exigeait de moi, même au risque de perdre la femme que j'aimais. Devant mon refus de cesser de fréquenter mes amis spirituels, les fiançailles furent annulées.

Je sombrai dans le désespoir le plus profond, car je tenais énormément à cette femme. Le poème que je lui avais adressé quelques mois plus tôt traduit bien l'amour infini que je lui portais.

Mon inaccessible étoile

Cette femme d'une grande générosité,
empreinte d'humilité
et dotée d'un grand sens de la compassion,

Cette femme possédant le sens des responsabilités
tant pour sa personne que pour sa famille
et une soif de justice pour elle et pour les autres,

Cette femme pour qui j'éprouve un sentiment d'amour
si grand et si inconditionnel,
cette inaccessible étoile m'enveloppe de sa lumière
du haut des cieux
et me procure une paix et une sérénité intérieures.

Cette femme qui brillait au firmament
sans que je puisse l'atteindre
a arrêté le temps, l'espace d'un instant,
pour briller seulement pour moi
et pour me dire que son firmament se trouvait
tout simplement au fond de mon cœur
et que sans lui elle ne brillerait plus.

Cette femme d'une sensualité à figer les yeux de Cupidon
a retiré de mon cœur la flèche de ce dernier
avec toute la délicatesse que je lui connais
et a cicatrisé mon cœur avec toute l'affection
et l'amour qu'elle me porte.

Cette femme, féminine jusqu'au bout des doigts,
brillera dans mon ciel à tout jamais
et restera mon inaccessible étoile
tant que je ne serai pas capable de briller comme elle.
Peut-être brillerons-nous un jour ensemble pour l'éternité?

Ma détresse était accentuée par le fait que mon ex-femme avait disparu on ne savait où avec les enfants pour la période des fêtes, même si c'est moi qui devais en avoir la garde pendant ce temps. La dépression qui précède les hallucinations a commencé à m'envahir. Je n'avais plus de réactions, je voulais mettre fin à mes jours. Progressivement, je m'enfonçais dans la psychose. Mes amis qui ne m'avaient pas vu depuis quelques jours se sont inquiétés de moi et sont venus m'entourer. Je parlais déjà avec incohérence quand ils m'ont découvert. Devant leur insistance pour que je me ressaisisse, je me sentais comme un acrobate sur un fil de fer qui ne sait plus dans quel monde il va tomber, du côté de l'enfer ou du côté de ses amis qui lui tendent les bras. Il leur a fallu me secouer fort pour réussir à me sortir de la torpeur dans laquelle je sombrais.

Une de mes amies a réussi à capter mon attention en me répétant: «Luc, tu ne peux faire cela, tu as déjà été capable d'accomplir le plus grand miracle du monde, tu as réussi à te sortir de chez les morts vivants. Tu es un miraculé, et un miraculé ne connaît pas la peur. Tu as le pouvoir de surmonter ton angoisse, reviens auprès de nous, tu n'as pas le droit de te réfugier dans un monde où l'on ne pourra pas t'aider.» Leur patience et leur amour ont finalement eu raison de mon désir de fuir cette réalité qui me faisait mal. Leur appel pressant a fini par me convaincre que je devais lutter, m'arrachant de mon état hypnotique. Le réconfort que m'apportait leur présence m'a paru être un gage d'espoir. La transition a été rapide: tout d'un coup, je me suis senti mieux. J'étais toutefois épuisé. Il me restait à dormir pour reprendre mes forces afin d'être en mesure de réintégrer le chemin de la vie réelle.

J'avais reçu entre-temps de nombreuses cartes de souhaits de Noël de la part de ceux qui m'avaient rencontré lors de mes tournées ou vu à la télévision et qui m'avaient adopté comme modèle. C'était gênant. Je réalisais combien il était inacceptable d'avoir pu un instant les abandonner en me laissant glisser vers la folie. J'ai alors pris mon courage à deux mains et j'ai décidé de me lancer corps et âme dans l'action. Mes amis m'ont épaulé, mon groupe d'entraide m'a porté secours de façon efficace. Quand, quelques mois plus tard, celle qui aurait dû être ma fiancée m'a téléphoné pour me proposer de reprendre notre relation, je n'ai pas répondu à son invitation. Je me voyais mal faire ma vie avec quelqu'un qui avait pu me rejeter, ne serait-ce qu'une fois, même si je savais que c'était une femme hors du commun.

Une autre tactique m'aide à préserver ma santé mentale: maintenant, j'évite de me placer dans des situations qui risquent d'occasionner un stress difficile à tolérer. Je n'accepte plus qu'on m'insulte, je ne m'engage plus dans des confrontations qui ne mènent nulle part. Je connais maintenant mes limites et je m'arrange pour qu'elles soient respectées. Je considère que je suis un être humain valable et je ne donne la permission à personne de me dégrader. Les valeurs auxquelles j'adhère sont trop précieuses pour que j'accepte de m'abaisser. Je fais donc attention à moi. J'ai pris conscience de ma force, et elle ne me quitte plus.

J'ai appris aussi à ne pas me créer d'angoisses inutiles pour des problèmes qui risquent de ne pas nécessairement se concrétiser. Autrefois, j'étais anxieux à l'idée d'avoir à payer une facture avant même qu'elle arrive. Cette inquiétude roulait sans arrêt dans ma tête. L'anticipation de nombreux autres problèmes, réels ou non, venait renforcer ce tourbillon de pensées inquiétantes qui devenait incontrôlable. Je consacre maintenant mon énergie à régler les problèmes quand ils se présentent, et j'écarte les problèmes tant qu'ils ne sont pas réels.

Je sais aujourd'hui que la réception de ma facture d'électricité est inéluctable. Mais j'ai réalisé que les chances de recevoir de l'argent se présentent plus souvent qu'on ne le pense. Bien des fois, l'une ou l'autre de mes voisines m'a demandé de repeindre son entrée ou d'effectuer de petits travaux quelques heures avant l'échéance d'une facture. Je réglais ainsi un problème d'argent qui m'aurait auparavant angoissé inutilement pendant plusieurs semaines. J'ai donc appris à vivre le moment présent et à cesser de me préoccuper de ce qui s'est passé la veille ou de ce qui se passera le lendemain. J'ai aussi appris à réagir positivement quand une épreuve s'abat sur ma tête et à penser à ce que je peux faire pour résoudre le problème plutôt que de m'apitoyer sur mon sort.

J'ai également commencé à demander conseil à mes amis avant de me lancer dans une entreprise ou de prendre des décisions susceptibles d'engager mon avenir. Je leur dois une fière chandelle, ils m'ont empêché de me mettre les pieds dans les plats à plusieurs reprises. De demander conseil m'a grandement aidé dans mon cheminement. Aujourd'hui, je suis plus autonome. Je consulte encore mes amis à l'occasion, mais je constate avec plaisir qu'eux aussi me demandent maintenant conseil. L'aide se fait maintenant dans les deux sens.

Je crois enfin que la production d'endorphine est salutaire pour trouver le calme de l'esprit propice à la santé mentale. L'endorphine est un calmant que fabrique naturellement le corps. J'ai trouvé une façon d'en produire pendant mon sevrage en faisant de longues marches. Je marchais tant que je n'étais pas calmé, jusqu'à ce que mon irritation s'apaise. Une autre façon de s'en procurer est de recevoir des caresses; c'est la meilleure des drogues. Je dois avouer que je ne me prive pas d'être affectueux avec ma conjointe actuelle. Mais je n'ai pas toujours eu la compagnie réconfortante d'une femme qui m'aime. Au plus fort de ma solitude, la marche arrivait souvent à me procurer un réconfort physique et psychologique qui me permettait de tenir bon. Je pouvais marcher des heures quand le besoin s'en faisait sentir. Toujours sur le plan physique, je me suis mis à accorder une grande importance à mon alimentation et à mon sommeil. J'ai réalisé à quel point les règles élémentaires d'hygiène avaient leur importance dans le maintien de la santé mentale.

Avant, j'étais persuadé de n'avoir pas plus de valeur qu'un tas d'ordures. C'est dire le peu d'estime que je me portais. Dans le groupe d'entraide, ils me taquinaient en me disant que je souffrais, excusez l'expression, du «syndrome du trou du cul».

Dire que je me suis méprisé avec violence pendant 33 ans. Aujourd'hui, j'ai de l'estime pour moi. En fait, je suis assez fier de moi et je m'aime. Mes anciens psychiatres me trouveraient sûrement orgueilleux. Mais est-ce une maladie mentale que de s'aimer enfin? J'ai fait mienne la thérapie du miroir qu'on nous enseigne dans les formations sur la relation d'aide. C'est ma thérapie matinale. En me levant, je me regarde dans le miroir en me disant bonjour, je me dis que je vais prendre soin de moi pour me montrer que je m'aime en me rasant, en me coiffant, en me mettant une agréable eau après-rasage. Je n'ai plus besoin de mascarade, de me réfugier dans des personnages maintenant que je m'apprécie.

J'apprends aussi à me gâter, ce qui n'est pas si facile à faire. Mon premier geste en ce sens a été d'entrer dans une parfumerie pour m'acheter un savon de grand luxe. Je suis donc devenu à mes yeux quelqu'un, quelqu'un d'important même, et le fait de le penser renferme déjà bien des solutions. Je considère que je me porte maintenant très bien même si je ne perds jamais de vue ma vulnérabilité.

Pour mettre un point final à ma triste expérience psychiatrique, je me suis rendu au centre hospitalier où j'ai séjourné afin de demander une copie de mon dossier médical, comme la loi sur l'accès à l'information le permet. La responsable des archives, qui n'était pas très disposée à répondre à ma demande, m'a tout d'abord demandé de justifier ma requête. Je me suis vu obligé d'invoquer les articles de loi se rapportant à cette question pour la convaincre. À court d'arguments, elle m'a enfin répliqué qu'elle m'en remettrait une photocopie après avoir obtenu les autorisations nécessaires, ce qui allait prendre au moins deux semaines. La lecture de ce dossier, bien que bénéfique, a été très éprouvante parce qu'elle me faisait revivre des moments douloureux. J'ai toutefois été surpris de constater que bien des incidents avaient été passés sous silence.

Que de chemin j'ai parcouru depuis ce temps pas si lointain où j'ai été hospitalisé en psychiatrie! Dans ma tête, je garde comme un trophée la phrase de mon médecin généraliste à la fin d'une consultation que j'ai eue avec lui deux ans après mon sevrage. Lui qui avait été témoin de mes durs moments et qui m'avait traité quand j'ai cessé de voir mes psychiatres m'avait simplement dit: «À l'an prochain!» J'étais enfin considéré comme un client normal qui n'a plus qu'à se présenter à son examen physique annuel. Quelle promotion!

Commentaires

Les propos de Luc mettent l'accent sur la nécessité d'établir des stratégies de gestion de santé mentale pendant les périodes d'accalmie et d'intervenir avant le déclenchement des crises. Une des grandes faiblesses de l'intervention en psychiatrie est d'être centrée sur la crise. L'individu doit être en crise pour qu'on s'en occupe sérieusement. Luc en a fait la dure expérience quand il s'est présenté à l'hôpital à plusieurs reprises en disant qu'il sentait son état se détériorer et quand on lui a répondu que son état n'était pas suffisamment grave pour justifier une prise en charge plus importante que ses courts rendez-vous hebdomadaires à la clinique externe. Pourtant, voilà justement un moment critique d'intervention pour éviter que la crise ne se produise. Étouffée dans l'œuf, elle risque de ne pas avoir lieu, ce qui représente une économie de souffrances et de soins appréciable. En s'intéressant principalement à la crise, la psychiatrie passe à côté de principes de santé mentale élémentaires. En fait, les périodes les plus propices à la consolidation de la santé mentale sont celles où la personne concernée a toute sa lucidité et se sent relativement bien. Lors de ces périodes de répit, elle peut en effet concentrer ses efforts sur l'apprentissage de la gestion de la crise et sur la mise en place du réseau d'alliés qui l'aidera, si elle venait à se sentir momentanément déstabilisée, à ne pas perdre pied.

Et même quand la crise se produit, pourrait-on envisager d'autres moyens que les médicaments pour y mettre un terme? On sait que, si l'on retire une personne de son milieu pour la placer dans un milieu sûr et calme, elle réussit souvent naturellement à sortir de sa crise au bout de quelques jours. Le résultat est parfois presque aussi rapide que lorsqu'on utilise des médicaments, dans la mesure où la personne se sent en sécurité là où elle est placée. Peut-être seulement dans les rares cas où la crise ne se démonte pas d'elle-même au bout de quelques jours pourrait-on envisager l'administration de médicaments, non sans avoir obtenu au préalable le consentement du principal intéressé. Il n'y a donc pas lieu de paniquer quand survient une crise. Le plus difficile est de trouver un endroit calme, rassurant et retiré propice à la résorption de la crise. Or, ces lieux sont rares. Entre eux, les gens des groupes d'entraide peuvent s'organiser pour porter secours à une personne qui ne se sent pas bien et la superviser avec patience et tolérance jusqu'à ce qu'elle retombe sur ses pieds. Ce n'est pas toujours facile de réunir toutes les conditions favorables à la dissipation d'une crise, et tout le monde n'est pas outillé psychologiquement pour en faire la supervision, ce qu'il est d'ailleurs déconseillé de faire sans un soutien étendu.

Afin de faciliter la tâche de tout le monde, la création de centres de crises serait hautement souhaitable. Ces centres pourraient accueillir tant les personnes en crise que les individus qui sentent leur état se détériorer et qui ne peuvent compter sur leur entourage pour obtenir le soutien requis. Ces centres mettraient à la disposition de ces personnes les moyens nécessaires pour leur permettre de reprendre le dessus. L'hôpital, perçu par les personnes souffrant de troubles mentaux comme étant froid, impersonnel et chargé de connotations négatives, aurait bien du mal à fournir à celles-ci le milieu calme et chaleureux qui semble propice à la dissipation rapide d'une crise.

Depuis de nombreuses années, le psychiatre Luc Ciompi, aujourd'hui retraité, et ses collègues ont accueilli dans une maison située dans un quartier résidentiel de Berne, en Suisse, des jeunes schizophrènes qui reçoivent peu ou pas de médicaments. Depuis l'ouverture de cette maison en 1984, personne dans le quartier n'a trouvé à se plaindre de ce voisinage. Au départ, une chambre capitonnée avait été aménagée à l'intention des nouveaux pensionnaires en crise en attendant qu'ils se calment. Interrogé dernièrement par le Dr David Cohen, qui lui demandait ce qu'il changerait s'il avait à recommencer, l'actuel directeur de Soteria Berne a répondu qu'il démantèlerait cette chambre capitonnée, car elle lui semble inutile. Il préfère nettement laisser les nouveaux venus en crise en liberté dans la maison et compter sur la tolérance des autres pensionnaires en attendant que la crise passe.

Évidemment, il y a toujours certains cas où les crises sont violentes ou destructrices, exigeant l'intervention de gens capables de convaincre la personne psychotique de se laisser amener à un endroit où elle pourra être traitée de façon appropriée. On pourrait citer à cet effet l'admirable travail de la police de la ville américaine de Memphis pour la formation de policiers spécialisés dans les interventions de crises impliquant des personnes psychotiques[1]. À la suite de la mort d'un jeune homme psychotique abattu par la police, les associations de parents d'enfants ayant des troubles mentaux sont intervenues pour réclamer un changement dans le traitement de ces crises par la police. La police de Memphis s'était montrée ouverte à l'idée, mais n'avait pas le budget nécessaire pour organiser les sessions de formation requises.

C'est alors que divers intervenants du milieu de la santé mentale ont offert bénévolement leurs services pour assurer la formation d'une équipe d'intervention de crise. Ces intervenants ont eux-mêmes patrouillé dans les voitures de police afin de mieux comprendre les difficultés d'intervention et de concevoir la formation en conséquence. Le cours résultant de cette collaboration dure une quarantaine d'heures et se déroule en

1. Pour plus de renseignements sur l'expérience de la police de Memphis, voir le commentaire du Dr X. K. James au chapitre intitulé «Dial 911» du livre de Patricia Backlar, *The Family Face of Schizophrenia*, New York, Tarcher Putnam Books, 1995.

classe et sur le terrain. Les agents y apprennent, par jeux de rôles, les stratégies à adopter dans diverses situations. Ces jeux de rôles sont filmés, commentés par les collègues et font l'objet de critiques constructives. Par la suite, les interventions en situation réelle donnent lieu à une analyse détaillée permettant d'identifier les difficultés rencontrées ainsi que les facteurs ayant contribué au succès de l'entreprise. Les policiers apprennent entre autres à établir un dialogue avec la personne en crise en essayant de lui faire exprimer les motifs de sa colère et de montrer qu'ils comprennent ces motifs tout en se distanciant diplomatiquement du délire. Voici un exemple de l'attitude préconisée:

La personne en crise: Ma mère essaie de m'empoisonner. Elle complote avec ceux qui veulent me voler mes affaires. J'imagine que vous ne me croyez pas?

L'agent: Je ne sais pas si je dois vous croire ou non. Je comprends toutefois que vous avez peur et que la pensée que votre mère puisse vouloir faire une telle chose vous bouleverse. J'aimerais vous aider. Déposez donc votre arme et venez vous asseoir près de moi pour parler de votre problème.

La personne en crise, un peu plus tard dans le dialogue: D'accord, mais je me sens étourdi, mes épaules n'arrêtent pas de trembler, puis il y a cette odeur qui m'agresse. Ils disent que je suis fou. Qu'en pensez-vous?

L'agent: J'ai l'impression que vous réagissez mal à vos médicaments. Venez avec moi, nous allons essayer de résoudre ce problème.

L'agent doit donc établir une relation de confiance avec la personne en crise, et cette confiance ne doit être trahie en aucun moment étant donné la possibilité que ces deux mêmes protagonistes se retrouvent face à face dans une situation ultérieure. L'agent doit donc habilement convaincre la personne en crise d'accepter d'être amenée en lieu sûr. En 1992, Memphis pouvait déjà compter sur 95 agents de police entraînés pour assurer un service d'urgence sept jours par semaine et vingt-quatre heures par jour dans chaque district. Les membres de l'équipe d'intervention de crise, qui portent un écusson d'identification, sont particulièrement appréciés par la communauté, et la compétence dont ils font preuve leur a valu un grand prestige.

À la lumière des tristes et déplorables incidents qui se déroulent chaque année quand les forces de l'ordre tentent maladroitement de maîtriser des personnes en crise, il est sensé d'affirmer que des équipes d'intervention dûment formées seraient nécessaires dans toutes les municipalités. Leurs chances de succès seraient cependant grandement augmentées si les personnes psychotiques en crise pouvaient avoir l'assurance d'être amenées dans des centres de crises respectueux de leur personne plutôt que vers des services psychiatriques dont elles ont appris à se méfier.

De son côté, la personne en proie à des troubles mentaux doit réaliser qu'elle a le potentiel nécessaire pour apprendre à gérer son état de santé mentale et qu'elle peut aussi trouver les alliés qui viendront à son secours pour assurer le maintien de son équilibre mental en cas de difficulté. Il est essentiel qu'elle se rende compte qu'elle doit investir toute l'énergie dont elle dispose à accomplir cette mission. Cela semble, évidemment, un projet difficile à mettre sur pied seul, mais, justement, les groupes d'entraide sont tout à fait disposés à prêter main-forte à ceux qui ont l'intention de sortir du labyrinthe de leurs troubles mentaux. Après plus de deux ans d'efforts assidus en ce sens, Luc en était arrivé à un niveau de fonctionnement tout à fait remarquable, et il ne faisait plus de crises. Peut-on se considérer fou quand on ne fait plus de crises? Pour d'autres, la période de transition sera plus longue et les résultats moins fulgurants. Mais le bonheur d'avoir retrouvé une qualité de vie permettant d'envisager l'avenir avec un optimisme tranquille devient dans ces conditions un objectif parfaitement réaliste.

«Ce personnage qui te fait peur a-t-il des yeux?
Un nez? Des oreilles? Parle-t-il?
Si oui, demande-lui de se taire.»

Les groupes d'entraide

Vous savez que «vouloir c'est pouvoir»
et que «qui se ressemble s'assemble».

Alors imaginez des regroupements de personnes
profondément convaincues de posséder
suffisamment de richesses au fond d'elles-mêmes
pour sortir des ténèbres et briller au grand jour.

J'ai vu, de mes yeux vu, que par ces groupes
l'impossible devient possible,
l'irréalisable devient réalisable.

On pourra se demander comment je faisais pour disposer d'un noyau si étendu d'amis dévoués. Je ne saurai à ce sujet qu'exprimer ma gratitude envers les divers groupes d'entraide que j'ai fréquentés et qui m'ont donné en tout temps un soutien inconditionnel sans rien demander en retour. Les gens que j'ai rencontrés dans ces groupes ont rendu ma résurrection possible. Sans eux, je ne serais pas là où je suis, je serais encore ce que les gens appellent un malade mental. Il est donc important que j'explique ici le fonctionnement de ces groupes et le rôle central qu'ils peuvent jouer dans le rétablissement de tout individu éprouvant des problèmes de santé mentale.

Comme beaucoup d'autres personnes qui ont connu des troubles de santé mentale, ma famille avait beaucoup fait pour m'aider. Je tenais pour acquis qu'elle avait le devoir de m'appuyer, mais j'estimais que c'était par aveuglement familial qu'elle continuait à espérer et à croire que j'étais quelqu'un digne de respect. Dans un groupe d'entraide, on rencontre de purs inconnus qui nous disent qu'ils croient en nous, qui estiment qu'on peut s'en sortir. Ils sont d'autant plus crédibles qu'ils ont vécu de l'intérieur les mêmes problèmes que nous et que beaucoup d'entre eux s'en sont effectivement sortis. Ce que nous disent ces inconnus ressemble à certains moments à ce qu'essayaient parfois de nous faire comprendre les membres de notre famille et les professionnels qui tentaient de nous traiter; mais, venant de leur bouche, ces propos deviennent tout à coup plausibles et on s'y accroche.

J'estime que le regroupement de personnes ayant des problèmes de santé mentale et partageant les mêmes préoccupations est primordial. Dans les groupes d'entraide, on trouve des gens représentatifs de tous les niveaux de santé mentale: ceux qui ont encore des problèmes graves fréquentent ceux qui s'en sont tirés et qui jouissent maintenant d'une bonne santé mentale. Pourquoi les personnes qui sont rétablies tiennent-elles encore à fréquenter leur club, alors qu'elles pourraient couper avec le passé et se fondre dans la société des gens normaux, ni vu ni connu? Pour les mêmes raisons que moi je le fais: mon action dans ces groupes est garante de ma santé mentale.

Quand je suis arrivé dans mon premier groupe d'entraide, j'ai été accueilli avec une chaleur à laquelle je n'étais pas habitué. Les membres du groupe m'ont entouré et ont montré qu'ils avaient un préjugé favorable à mon égard. Cette attitude positive était nouvelle pour moi, et elle ne s'est pas démentie par la suite. Je sais, pour l'avoir vu, que les choses se passent de la même manière dans les autres groupes d'entraide. Je côtoyais pour la première fois des gens qui avaient échappé à la sentence à vie des troubles mentaux. J'admirais le cheminement de ces personnes et je m'émerveillais de leur rétablissement. Je pouvais enfin parler, sans avoir peur de perdre ma liberté, de ce qui me hantait à des gens qui me comprenaient. De nouveaux horizons s'ouvraient à moi.

Malgré cet environnement réconfortant, j'ai mis plusieurs mois à prendre conscience que ce groupe était tout indiqué pour me sortir de la solitude morale extrême qui était la mienne depuis longtemps. Je n'osais pas déranger, je ne réalisais pas qu'il était là justement pour me donner l'aide dont j'avais désespérément besoin. Je restais seul chez moi, envahi par l'angoisse et la détresse. J'ai mis longtemps à comprendre que j'avais trouvé en ces gens une nouvelle famille. La persistance de l'amitié qu'ils m'ont offerte a fini par me donner le sentiment que non seulement je n'étais pas seul, mais aussi que j'étais digne d'intérêt.

Moi qui étais encore confus et mal dans ma peau au sortir de l'hôpital, on m'avait peu à peu valorisé en me faisant sentir que je pouvais apporter une contribution importante au groupe, une contribution jugée aussi importante que celle de mes camarades plus avancés dans leur démarche. Malgré les maigres moyens dont je disposais, je me rendais compte que j'arrivais à réconforter ceux de mes camarades qui traversaient des moments de détresse, à en dépanner d'autres en leur rendant service.

Aujourd'hui, je vois encore tous les jours des personnes en tout début de cheminement qui proposent à leurs camarades de leur donner un coup de main pour déménager, chercher un appartement, faire de la peinture. J'ai remarqué aussi que les nouveaux ont cette capacité de fournir, à travers leur démarche, des éléments de réponse permettant à d'autres, plus avancés qu'eux, de progresser. Pour ma part, la fréquentation de gens ayant encore du chemin à faire me remémore les étapes par lesquelles je suis passé. La mémoire est une faculté qui oublie, et je m'en voudrais d'oublier qui j'étais.

Les membres du groupe apprennent progressivement que c'est faire preuve d'intelligence que de demander de l'aide lorsque le besoin s'en fait sentir. En se faisant aider, ils parviennent plus rapidement à se débrouiller et à gérer leur vie. L'ouverture du groupe les aide à devenir compétents sur le plan social comme sur le plan émotif. Les membres du groupe forment une véritable chaîne d'amitié, et l'amour qu'ils nous témoignent nous convainc que nous méritons d'en recevoir. Bien des fois j'ai trouvé sur mon répondeur un message comme celui-ci: «Bonjour Luc, est-ce que quelqu'un t'a dit aujourd'hui qu'il t'aimait? Sinon, moi je te le dis.» Ces messages constituent les meilleurs antidépresseurs qui soient. Nous en avons tous besoin. C'est pourquoi nous n'hésitons pas à exprimer ainsi notre solidarité quand nous savons que cela aidera l'un d'entre nous.

Quand un de nos camarades ne se sent pas bien, il a l'assurance d'avoir le secours d'un autre qui comprend exactement ce qu'il vit. La plupart de nos membres prennent un jour ou l'autre la décision d'entreprendre un sevrage. On sait qu'au cours de ce processus ils passent par des périodes particulièrement éprouvantes, car le sevrage s'accompagne souvent du retour temporaire des hallucinations et de la paranoïa. Dans ces moments de crise, les personnes en proie à leurs hallucinations ne sont pas en état d'expliquer à quelqu'un qui n'en a jamais fait l'expérience ce qu'elles ressentent et ce qu'il faut faire pour les calmer. En appelant un membre du groupe, l'individu en détresse sait qu'une personne capable d'être sur la même longueur d'onde que lui sera là pour l'aider à vivre ses émotions. Dans notre groupe, plusieurs personnes sont disposées à recevoir à toute heure du jour ou de la nuit l'appel téléphonique d'individus qui ne se sentent pas bien et à les réconforter. Au besoin, elles se déplacent pour leur tenir compagnie jusqu'à ce qu'ils se sentent mieux. Cela leur évite d'attendre six ou sept heures à l'urgence et d'avoir recours à la médication pour surmonter l'angoisse.

La compréhension et l'acceptation par les autres des émotions des personnes atteintes de troubles mentaux sont essentielles à leur rétablissement. Nous en sommes bien conscients dans les groupes d'entraide. Aucune difficulté émotive, même quand elle paraît déplacée, ne doit être négligée ou dénigrée: des émotions en apparence futiles en cachent souvent d'autres plus importantes. Prenons une personne qui pleure à chaudes larmes parce que son chien est malade. À première vue, ce chagrin paraît disproportionné, surtout si le chien n'est pas gravement malade. Pourtant, il serait maladroit de lui dire qu'il n'y a pas lieu d'en faire un drame. Ce n'est qu'après que cette personne se soit sentie comprise qu'il devient possible de dédramatiser la situation et d'évoquer la guérison du chien. Souvent, ce chagrin n'a pas grand-chose à voir avec le chien; il constitue la goutte qui fait déborder le vase. L'accompagnement de cette personne dans son chagrin permet plutôt de découvrir le noyau douloureux du problème à résoudre.

Nous avons mis au point des techniques pour faire diminuer les voix. Quand dans le groupe l'un d'entre nous se fige et semble se mettre à entendre des voix, nous réagissons comme s'il s'agissait d'une chose normale et comme s'il suffisait d'appliquer une recette élémentaire pour s'en débarrasser. Nous proposons à la personne d'engager une conversation avec ses voix. Elle constate alors que le dialogue n'est pas possible parce que les voix sont à sens unique: celles-ci deviennent de ce fait moins crédibles et moins dignes d'attention. On conseille ensuite à cette personne de dire à ses voix de se taire ou d'en baisser le volume. Cette technique fonctionne généralement bien. Quand un habitué du groupe avec qui nous sommes à l'aise semble entendre des voix, il nous arrive de le taquiner. Celui-ci se ressaisit et nous répond: «Ça va, j'ai compris, je m'occupe de les faire taire.» Moi-même, quand j'étais seul, j'écoutais de la musique avec mon baladeur pour m'aider à faire disparaître mes voix.

Lorsqu'un de nos compagnons a des hallucinations visuelles, nous appliquons d'autres techniques pour lui apporter un réconfort et éloigner la panique. S'il se met à avoir des visions, nous lui demandons de les décrire. «Ce personnage qui te fait peur a-t-il des yeux? Un nez? Des oreilles? Parle-t-il? Si oui, demande-lui de se taire.» Le simple fait d'avoir quelqu'un pour nous accompagner dans ces moments angoissants suffit souvent à chasser les hallucinations. Il est primordial de croire une personne qui dit avoir des hallucinations car celles-ci sont réelles pour elle. Il ne faut surtout pas lui dire que ces visions sont dans sa tête. Nier la présence d'ombres, de monstres et de voix ne sert qu'à augmenter la détresse et la psychose de la personne aux prises avec ces présences terrifiantes. Elle ne se sent pas crue et pense qu'on l'abandonne sans l'aider, d'où l'importance de l'accompagner dans son effort pour se débarrasser des apparitions et des voix inquiétantes.

Le fait d'être aimé et compris contribue à faire disparaître les hallucinations et à désamorcer la psychose avant qu'elle ne s'installe. J'ai des amis qui vivent dans leur famille et qui ont appris à avertir leurs proches dès qu'ils ont des hallucinations. Leur famille applique alors ces techniques pour les aider à venir à bout de leurs visions ou de leurs voix. Quand j'étais interné, j'avais instinctivement utilisé une autre technique pour aider mes camarades, et cette technique avait donné des résultats assez immédiats. Lorsque l'un d'eux était terrifié par ses hallucinations, je lui disais de se cacher dans un endroit sûr pendant que je m'occupais de régler leur compte aux monstres qui lui faisaient peur. Cette technique n'avait toutefois pas l'avantage, comme les précédentes, d'amener la personne éprouvée à apprivoiser ses hallucinations et à apprendre à les faire disparaître.

Il faut dire que lorsque nous sommes dans le groupe d'entraide, les hallucinations se produisent rarement. Nous nous adonnons à des activités intéressantes, nous avons des conversations qui absorbent toute notre attention, bref nous sommes souvent trop concentrés pour penser à nos problèmes, pour entendre des voix. C'est pourquoi j'ai l'intention de me vouer à ce qui m'intéresse à longueur de journée. Si je cessais de le faire, ce serait ma mort.

Le contact avec des semblables nous aide à dédramatiser notre situation. Nous nous permettons même d'en blaguer entre nous. Arriver à rire sans malice de certaines facettes de notre vie constitue à mon avis une étape importante de la guérison. Le rire montre qu'on a atteint un certain niveau de libération par rapport à la souffrance. Je me souviens qu'un jour, au groupe d'entraide le Tournesol, une femme s'était présentée, gênée comme nous l'avons tous été la première fois que nous y sommes venus. Une de nos camarades l'avait accueillie en disant: «Entre, plus on est de fous et plus on rit.» Nous avons tous regardé notre camarade d'un air étonné puis, après un bref silence, nous avons éclaté de rire et mis à l'aise la nouvelle arrivante. Celle-ci a joué le jeu et déclaré: «D'accord, mais que cela reste entre nous!»

Par ailleurs, plus nous sommes entourés d'amour, moins les problèmes ont d'emprise sur nous. Cette aide qui nous est offerte se généralise à divers aspects de la vie. Quand j'ai eu à me présenter pour des entrevues en vue d'obtenir un emploi, j'ai senti le besoin de me faire revaloriser en faisant appel à quelqu'un du groupe. Après m'être fait remonter le moral et rappeler les qualités sur lesquelles je pouvais compter pour postuler l'emploi désiré, je repartais encouragé et bien disposé pour l'entrevue.

L'écriture m'apparaît comme un moyen d'expression et de libération important. En publiant des articles et des poèmes dans divers journaux communautaires, nous élargissons aussi notre cercle de solidarité. C'est pourquoi j'encourage les personnes que je rencontre à soumettre du matériel pour publication. Beaucoup m'ont dit que cela leur faisait du bien de mettre leurs états d'âme sur papier et de voir leur texte imprimé. Au cours de la tournée provinciale que j'ai effectuée, j'ai été à même de constater l'impact de cette forme de communication. Quand nous sommes allés en Abitibi-Témiscamingue, une collègue de l'AGIDD et moi, nous avons rencontré une femme qui avait en main le poème que ma collègue avait écrit dans le journal du Regroupement des ressources alternatives en santé mentale quelques années plus tôt. Elle tenait à lui dire que ce poème lui avait ouvert les yeux et que c'était grâce à lui qu'elle s'était prise en main. Quand j'incite mes pareils à écrire, il m'arrive de les entendre me répliquer qu'ils n'ont rien à dire. Je leur réponds que tout texte, quel qu'il soit, trouve des lecteurs qui y sont sensibles et pour qui il fait toute la différence. Ces textes contribuent aussi à démystifier les troubles mentaux aux yeux des proches et amis.

C'est une fausse idée de croire qu'à l'extérieur de nos groupes d'entraide se trouve le monde normal. Je considère que nous tous qui fréquentons les groupes d'entraide sommes normaux. Viendrait-il à l'idée de quelqu'un de dire que ceux qui fréquentent les Alcooliques anonymes sont anormaux, c'est-à-dire détachés des normes de la société? Pourtant, les membres de ces associations vivent des problèmes qui ressemblent étrangement aux nôtres.

En fin de compte, on est obligé de se rendre à l'évidence qu'il est possible de se défaire de ses troubles mentaux, même les plus graves. Comment se fait-il que la psychiatrie traditionnelle s'acharne à traiter sans succès des personnes qui, dès qu'elles se libèrent de la psychiatrie et se mettent à fréquenter des groupes d'entraide, commencent à faire des progrès exceptionnels. C'est difficile pour la psychiatrie d'admettre que le réseau communautaire réussit là où elle échoue. C'est grâce aux organismes communautaires que j'ai pu me sevrer des drogues et des médicaments. C'est grâce à eux que j'ai appris à aimer, à me respecter, à prendre soin de la personne valable que je suis. Que tous ceux qui me conseillaient de ne pas fréquenter ma gang de fous, pensant que cela pouvait m'être nuisible, constatent que les résultats ont raison des préjugés.

Commentaires

Quand le ministère de la Santé et des Services sociaux du Québec a pris, en accord avec sa politique en santé mentale, l'initiative de favoriser l'essor des groupes d'entraide, il avait pour but d'alléger les angoisses de réinsertion sociale consécutives à une hospitalisation en psychiatrie. Qui se serait douté alors que plusieurs de ces groupes d'entraide auraient le potentiel de devenir des outils thérapeutiques de premier plan susceptibles de se substituer progressivement à la psychiatrie traditionnelle?

L'énorme force des groupes d'entraide est d'offrir aux personnes qu'ils accueillent un réseau étendu de soutien. Isolés, les familles et les thérapeutes se sont heurtés à des difficultés infranchissables quand ils ont essayé de faire face seuls, et sans recourir aux médicaments, aux troubles mentaux et à la schizophrénie. Sans un soutien communautaire étendu, les efforts les plus louables sont en effet potentiellement voués à l'échec. Le défi est trop grand et les enjeux dépassent rapidement les capacités et les compétences des gens de bonne volonté quand ils ne sont pas suffisamment nombreux pour tisser un solide filet de sécurité autour de la personne qu'ils désirent aider. Le grand avantage des réseaux d'entraide est donc de fournir un filet de sécurité naturel, souvent solide et réciproque sur lequel les nouveaux venus sont invités à se greffer[1].

Les groupes d'entraide qui sont les plus avancés dans leur démarche fournissent un milieu propice à la restauration de la confiance envers les autres. Cette confiance constitue un premier pas dans la direction d'un rétablissement. Il serait plus juste d'ailleurs d'utiliser dans la majorité des cas le terme «établissement», car le terme rétablissement suppose qu'une personne retrouve un équilibre qu'elle a perdu. Bien souvent, cet

1. On peut obtenir les coordonnées des groupes d'entraide de chaque région en s'adressant au Regroupement des ressources alternatives en santé mentale du Québec dont les bureaux sont situés à Montréal.

équilibre n'a jamais existé auparavant. L'équilibre trouvé est alors un équilibre inédit, entièrement neuf. La confiance, les nouveaux l'accordent aux individus qui fréquentent ces groupes d'entraide parce que tout le monde y a vécu des problèmes similaires, parce que chacun comprend dans toutes les fibres de son être les expériences de l'autre et parce que le respect mutuel y règne. Le dévouement réciproque, la fraternité, la solidarité, la patience infinie des uns envers les autres qui règnent dans beaucoup de groupes d'entraide rendent ces groupes aptes à offrir le soutien de tout instant si nécessaire pendant tout le processus de rétablissement. Des discussions souvent profondes et intenses que plusieurs de ces groupes soulèvent surgissent des éléments de réponse, chacun apportant une parcelle de vérité qui étoffe celle des autres. Leur recherche de solutions débouche aussi sur des stratégies de maintien de santé mentale semblables à celles que décrit Luc.

J'ai trouvé, dans un très récent manuel de psychologie cognitive consacré à la psychose, la description d'une technique similaire à celle qu'utilisent les gens du groupe auquel appartient Luc pour faire taire les voix[2]. Les auteurs de ce livre, éminents chercheurs britanniques, y exposent entre autres la technique qui consiste à demander à la personne qui entend des voix d'en baisser le volume jusqu'à ce que celles-ci disparaissent. Par cette technique, la personne concernée apprend qu'elle peut exercer un contrôle sur ses voix. Ce livre propose également d'excellentes pistes de réflexion pour tout thérapeute désirant se spécialiser dans le domaine des troubles psychotiques.

Pour mieux comprendre le fonctionnement de ces groupes d'entraide, donnons la parole à Michèle Châtelain, coordonnatrice du groupe d'entraide le Vaisseau d'Or, ainsi qu'à deux membres de ce groupe. Soulignons que Michèle Châtelain a été en outre présidente pendant deux ans de la table régionale des organismes communautaires de Lanaudière et membre du

2. David Fowler, Philippa Garety, Elizabeth Kuipers. *Cognitive Behavior Therapy for Psychosis*, Toronto, John Wiley & Sons, 1995.

comité consultatif sur la santé mentale de la Régie régionale de ce territoire administratif. Si les usagers siègent aujourd'hui au comité consultatif régional dans Lanaudière, c'est entre autres à Michèle qu'ils le doivent, elle qui, de concert avec plusieurs autres représentants d'organismes communautaires, a invoqué les principes de la politique de santé mentale pour obtenir leur inclusion dans ce comité. Elle nous livre ici le fruit de son expérience dans l'organisme alternatif le Vaisseau d'Or.

«Le Vaisseau d'Or existe depuis 1988. Lorsqu'une personne se présente chez nous en disant qu'elle est schizophrène, nous lui faisons comprendre que nous attachons plus d'importance à son prénom qu'à cette étiquette. Les diagnostics ne nous intéressent pas, et nous ne croyons d'ailleurs pas à cette façon de voir les choses. De toute façon, bon nombre de personnes qui sont passées par la psychiatrie semblent, étonnamment, finir par cumuler tous les diagnostics.

«Les gens qui fréquentent notre groupe d'entraide n'ont aucune obligation de se rendre au local ni, s'ils y vont, de se mêler aux autres ou aux discussions et activités qui s'y déroulent. Ils viennent donc selon leurs besoins et repartent quand ils veulent. Au début, ils se contentent souvent de venir dire bonjour à tout le monde. Puis, ils se mettent à rester plus longtemps pour écouter les autres parler. Le contact finit par se faire et celui-ci donne lieu à de nombreux échanges sur les expériences de vie de chacun. Avec le temps, les nouveaux venus commencent à remettre en question la psychiatrie traditionnelle lorsqu'ils voient leurs camarades ayant,comme eux, reçu des électrochocs ou une surmédication se passer de médicaments et s'impliquer dans l'action et la vie sociale. Cette constatation marque généralement le début d'un cheminement en direction du rétablissement.

«Nous, les responsables, ne sommes pas là pour faire de la thérapie, du moins pas dans le sens habituel que l'on donne à ce mot. Nous nous contentons d'être présents, de faciliter la création de liens, de prendre le temps de nous asseoir pour écouter tout le monde. Nous répondons aussi aux demandes d'aide quand l'une ou l'autre des personnes qui fréquentent le groupe traverse des moments difficiles. Nous sommes également là quand elles sentent le besoin de se vider le cœur en toute confidentialité. Nous ne prévoyons donc aucune intervention structurée, et cette façon de procéder donne à notre avis des résultats nettement supérieurs à ceux que l'on obtient dans d'autres contextes. Nous estimons qu'il appartient à ceux qui se réunissent au local de décider des interventions et des activités qui leur conviennent: nous ne sommes là que pour les aider à concrétiser leurs demandes. Dès qu'ils prennent conscience qu'ils ont leur mot à dire et qu'ils peuvent faire des choix qui respectent leur rythme et leur vulnérabilité, les nouveaux venus se mettent à progresser de façon notable et à s'intégrer au groupe avec conviction.

«Les personnes qui fréquentent notre groupe ont choisi, entre autres, de s'adonner à des ateliers de peinture et de musique. Notre responsable d'atelier est une femme généreuse qui a beaucoup d'amour à donner. C'est une artiste qui sait créer une ambiance détendue et tirer le meilleur de chacun. Dans les centres de jour institutionnels, on appellerait cela de l'art thérapie ou de la musicothérapie. Mais dans ces centres, les gens qui participent à de telles activités ne s'impliquent pas autant parce qu'ils ne sont pas consultés sur ce qu'on leur fait faire. De plus, on leur interdit de fumer sur les lieux; les trois quarts d'entre eux ne sont pas intéressés à y aller pour cette raison. La cigarette, en effet, semble soulager l'inconfort, au niveau de la gorge, qui est occasionné par la prise de neuroleptiques. C'est pourquoi un grand nombre de gens qui prennent ces médicaments éprouvent le besoin de fumer. Conscients de cette particularité, les membres des groupes d'entraide se montrent très tolérants à cet égard puisque qu'un certain nombre d'entre eux continuent de prendre des neuroleptiques, même si la tendance est au sevrage dans plusieurs de ces groupes. Nous organisons également un grand repas collectif une fois par semaine. Nos activités demeurent simples. Il est en effet préférable de mener à bien des projets dans lesquels les participants se sentent à l'aise. Au début, bon nombre d'entre eux craignent en effet d'être jugés par les autres, et il faut leur donner la possibilité de prendre de l'assurance dans un contexte rassurant.

«Un jour, un infirmier qui avait déjà travaillé en psychiatrie s'est présenté chez nous dans l'espoir d'obtenir un emploi. Il est arrivé ici avec l'air de quelqu'un qui connaissait tout. Pour lui, une activité, c'était une activité structurée. Il est resté quelque temps à observer le groupe et, voyant tout le monde bavarder de façon informelle, il a conclu qu'il ne se passait rien et qu'il ne comprenait pas ce qu'il pouvait faire dans un tel contexte. Pourtant, nous, les responsables de ce groupe, trouvons toujours quelque chose à faire ici, ne serait-ce que de nous attabler avec quelqu'un pour parler. Cet infirmier se sentait incapable de le faire, et n'a donc pas été engagé.

«Nous avons aussi beaucoup de difficulté avec les éducateurs spécialisés qui voudraient travailler chez nous. Ils attachent une trop grande importance aux étiquettes psychiatriques, ce qui s'écarte de notre philosophie. Ceux qui sont restés sont ceux que nous avons été capables de «déformer». Pour travailler ici, il est essentiel de croire aux solutions alternatives, ce qui n'est pas simple. Je connais des gens qui sont de très bons intervenants dans d'autres contextes, mais ces solutions alternatives se révèlent trop exigeantes pour la plupart d'entre eux. Il faut vraiment savoir aller au-delà des mots pour comprendre le cheminement de chacun et prendre du recul par rapport au quotidien en comparant ce que la personne à qui l'on s'adresse est aujourd'hui avec ce qu'elle était un an auparavant. Cela m'a pris des années avant de croire à l'alternatif. Aujourd'hui, j'y crois de plus en plus malgré les lourdes responsabilités que cela comporte. Nous avons des résultats, cette philosophie commence à porter fruit.

«Initialement, le groupe avait été mis sur pied par le réseau de la santé, qui avait formulé des pages et des pages de règlements. N'ayant jamais eu besoin de les appliquer, nous les avons laissé tomber depuis longtemps. Notre règlement actuel se résume à la notion de respect de l'autre. Une fois que cette idée est installée dans le groupe, les nouveaux s'inscrivent dans cette culture naturelle.

«Le groupe d'entraide marche bien quand il comporte un nombre relativement restreint de membres, idéalement entre 75 et 80, et quand une quinzaine de ces personnes se retrouvent en même temps au local. En ce moment, notre groupe est composé d'environ 65 membres. Une cinquantaine ont une carte de membre et une quinzaine n'en ont pas. Actuellement, notre groupe vit un problème qu'il lui faudra résoudre. En effet, un important bloc de gens institutionnalisés provenant d'un autre territoire a commencé à fréquenter notre groupe au lieu de fréquenter son groupe d'entraide local. Ces nouveaux, imprégnés de l'esprit institutionnel, s'encouragent mutuellement à la dépendance et reproduisent ici les comportements auxquels ils sont habitués: se bercer ensemble. Il nous est difficile d'intégrer d'un seul coup un apport si important de gens ayant un long cheminement à faire et déséquilibrant, par leur nombre, la dynamique du groupe. Nous devrons trouver une solution à cette situation.

«Au Vaisseau d'Or, les postes d'animateurs sont réservés aux usagers. Nous estimons qu'ils ont des apprentissages de travail à faire, et nous préférons qu'ils les fassent ici car nous n'exigeons pas qu'ils soient productifs en tout temps. Cela leur donne la chance de mettre en valeur des talents qu'ils ne se connaissaient pas. Le processus d'apprentissage est quelquefois long mais il en vaut la peine. Les animateurs se forment entre eux. Nous ne nous occupons pas de leur formation, car la prise en charge de leurs responsabilités est une composante importante de leur rétablissement. Nous constatons aussi que les personnes ayant vécu des troubles mentaux montrent plus de tolérance envers le comportement de leurs pairs que celles qui n'en ont jamais eu. Il arrive que les responsables sentent leur niveau de tolérance s'abaisser.

Qu'importe, les usagers qui assument un leadership certain pour assurer la bonne marche du groupe prennent la relève, car ils font preuve d'une patience infinie que ne possèdent pas ceux qui sont restés toute leur vie à l'abri des troubles mentaux. D'ailleurs, ceux qui ont fait leurs preuves sont privilégiés au moment de l'embauche d'intervenants, dans la mesure où ils présentent une compétence égale à celle des autres postulants.

«Il règne dans le groupe un grand esprit de solidarité. Combien de fois j'ai entendu dans le groupe d'entraide les gens se dire: «Tu es mon frère, tu es ma sœur, c'est vous ma famille.» Cette solidarité ne se manifeste pas seulement à l'intérieur du groupe d'entraide, elle s'est étendue à l'extérieur.

«Il y a deux temps de l'année qui semblent particulièrement durs pour le moral de nos membres. Il y a la période des fêtes de Noël, puis le printemps. Au printemps, en particulier, certains d'entre eux ressentent avec plus d'acuité l'absence de relations amoureuses ou réalisent que leurs médicaments empêchent la sève de monter en eux comme elle monte chez les autres. Ce sont des périodes qui requièrent toute notre énergie.

«Au groupe d'entraide, l'information circule: nous nous faisons un devoir de mettre toute la documentation existante à la disposition de nos membres, l'éventail de cette documentation allant du point de vue de la psychiatrie traditionnelle au point de vue du réseau alternatif. Nous leur donnons ainsi le loisir de se faire une opinion personnelle. L'information est aussi véhiculée entre groupes d'entraide. Nous avons envie de travailler ensemble, de voir comment les autres fonctionnent, de mettre les autres au courant des possibilités de formation, en relation d'aide, par exemple. La circulation de cette information commence à avoir un impact sur la capacité qu'ont nos membres de faire reconnaître leurs droits et de se faire accompagner pour les défendre si besoin est. Cela change le visage global de la psychiatrie.

«Nous avons constaté des résultats particulièrement encourageants depuis la sortie du *Guide critique des médicaments de l'âme*. Celui-ci a suscité un vif intérêt chez nos membres. Plusieurs d'entre eux, après avoir lu ce livre, ont entrepris des actions très concrètes en vue de se sevrer. Un spécialiste en toxicomanie familier avec le sevrage des drogues nous prête main-forte pour le sevrage des médicaments et soutient ceux qui se lancent dans une telle entreprise. Ce sevrage ressemble en effet beaucoup à celui des drogues. Lorsque la personne qui entreprend un sevrage a de la difficulté à négocier cette décision avec son psychiatre, nous l'accompagnons pour rencontrer le psychiatre en question. Curieusement, le langage de ces professionnels change du tout au tout quand une tierce personne bien informée assiste aux entretiens. En cinq ans d'observation, j'ai constaté que les personnes qui font des crises sont celles qui sont surmédicamentées, qui prennent encore 27 pilules par jour. Ce sont elles qui font des psychoses, qui ne sont plus capables de parler, qui entrent en convulsions et retournent à l'hôpital. Si les gens qui fréquentent le groupe font des psychoses, cela ne se voit pas. Il y a longtemps qu'on n'a pas envoyé quelqu'un à l'hôpital.

«Libérés des médicaments, ceux qui ont réussi leur sevrage disent se sentir nettement mieux. Nous avons été témoins de cas de personnes qui ont ainsi fini par remonter la côte de façon étonnante. Il se trouve parmi eux des gens qui avaient pris des neuroleptiques pendant des années et qui avaient, au début, eu beaucoup de difficulté à s'intégrer au groupe. Pendant leur sevrage, ils n'ont pas toujours été faciles à vivre, mais il nous a toujours semblé normal de leur donner notre soutien inconditionnel. Aujourd'hui, plusieurs d'entre eux ont acquis une autonomie qu'ils n'auraient jamais cru possible et sont capables de vivre en appartement.

«Les premiers succès ont eu un effet d'entraînement. Quand nos membres voient l'un des leurs réussir à se passer de médicaments et, de plus, aller mieux, ils sont portés à suivre l'exemple qui leur est donné. Le sevrage n'est toutefois pas un processus facile. Il arrive, en cours de route, que certains paniquent momentanément en raison des symptômes associés au sevrage: ceux-ci peuvent en effet paraître inquiétants.

«Le sevrage ne réussit pas toujours du premier coup. Ceux qui avaient un espoir trop immédiat de vivre sans symptômes sont quelquefois effrayés par les symptômes du sevrage. Il leur arrive de décider de retourner à leurs doses initiales. Pour nous, cela ne constitue pas une défaite en autant que ce recul temporaire ne se solde pas par la reprise abusive de médicaments. Ils essaieront probablement plus tard, stimulés d'avoir sous les yeux des exemples de gens qui s'en sont sortis.

«Nous trouvons plus facile de travailler avec les jeunes de moins de trente ans. Ils ont encore un avenir devant eux. Nous pouvons leur faire vivre de nouvelles expériences. Il y en a, par exemple, qui ont toujours été trop gênés pour aller danser ou pour assister à des manifestations culturelles et qui rêvent d'y aller: nous les encourageons à vivre leur jeunesse et à sortir, seuls ou en groupe, comme les autres jeunes «qui n'ont pas de problèmes». Plus les personnes sont âgées, plus le processus de rétablissement risque d'être long car celles-ci mettent parfois plus de temps à comprendre que les choses peuvent se faire différemment.

«Nous avons tout un travail à accomplir auprès des familles d'accueil. Certaines d'entre elles ne veulent pas envoyer leurs pensionnaires au groupe d'entraide. Quand ces derniers se mettent à aller trop bien, cela dérange parfois les familles d'accueil, qui les préfèrent sans doute bien tranquilles, gelés avec des médicaments. Nous connaissons une de ces familles qui prétend que la jeune fille dont ils ont la garde ne peut voir personne parce qu'elle est schizophrène. Ils l'empêchent de venir au Vaisseau, malgré son désir de se joindre au groupe.

«Nous avons l'impression que les gens du réseau de la santé vivent sur une autre planète, et nous sommes perpétuellement engagés dans des débats avec eux. C'est pourquoi j'ai tenu à ce que des usagers siègent au Comité consultatif sur la santé mentale de la Régie régionale de Lanaudière. Le jour où Luc Vigneault est devenu membre de ce comité et qu'il a commencé à dire les mêmes choses que moi sans que nous nous soyons consultés, les autres membres ont eu plus de difficulté à nier le cheminement accompli en dehors des sentiers de la psychiatrie traditionnelle. Ce que nous rapportons, c'est ce que nous voyons sur le terrain; cela ne sort pas de notre cerveau, nous parlons de situations concrètes. Il est toujours nécessaire de ramener les membres du réseau de la santé aux besoins des personnes. Ils ont de la difficulté à s'y faire. Nous ne lâcherons pas, malgré l'énergie et les nombreuses heures de travail que nous devons consacrer à cette tâche.

«Nous voyons bien que cela les dérange que les gens issus du réseau communautaire sachent des choses qu'ils ne savent pas. L'information que nous avons accumulée au fil des ans commence à avoir du poids. Un des participants au comité, qui, soit dit en passant, n'est ni un psychiatre ni un représentant du réseau alternatif, a fini par faire remarquer que, d'après lui, la psychiatrie était appelée à disparaître. Depuis qu'existent des groupes alternatifs, j'ai l'impression que de nombreux psychiatres se cherchent des charges de cours parce qu'ils n'ont plus leur place dans cette nouvelle façon de voir les choses.»

Quel genre d'ambiance règne dans un groupe d'entraide qui fonctionne bien? Dans la plupart de ceux que j'ai visités, j'ai observé cette même camaraderie calme et posée. Par petits groupes, des gens discutent, d'autres préparent les activités à venir en se concertant et en se distribuant les tâches. Quand je suis arrivée pour la première fois au Vaisseau d'Or, j'ai remarqué parmi le groupe des personnes venues m'accueillir à la porte, ce jeune homme au sourire radieux qui m'a tendu la main avec grande fierté pour m'annoncer qu'il était animateur. Puis, sans transition, je l'ai vu aller se coucher sur un divan pour une sieste qui allait durer quelques heures. Étrange comportement pour un animateur! En fait, il s'agissait d'un nouveau à qui l'on venait tout juste de confier des responsabilités que, manifestement, il n'était pas encore en mesure d'assumer. Il en tirait toutefois déjà une certaine fierté et, le temps aidant, comme tous les autres qui s'étaient vu accorder de telles responsabilités à leur arrivée, il allait peu à peu apprendre à les assumer.

Le mercredi au Vaisseau est la journée du repas collectif. Tout le monde s'entend sur un menu avec la responsable de la cuisine. Les uns s'affairent à dresser les tables et à mettre les couverts, d'autres épluchent les légumes et coupent la viande tout en bavardant. Bientôt, une bonne odeur s'élève des chaudrons et le repas est servi à une tablée d'une vingtaine de personnes. Les discussions sont animées et enjouées. À part les propos mystiques et étonnants d'un des convives, propos qui s'intègrent dans la conversation comme si de rien n'était, et à part aussi un climat de grand respect mutuel, rien ne distingue ce repas de groupe de ceux qui réunissent des gens soi-disant normaux.

Richard et Christian sont au nombre des habitués de ces repas. Leur enthousiasme pour le groupe ne fait pas de doute. Richard, dans la trentaine, ne parlait pas depuis cinq ans et passait sa vie la tête enfouie sous les bras quand l'éducatrice qui s'occupait de lui l'a amené au Vaisseau d'Or. Qui aurait pu croire qu'un être alors si diminué se transformerait en cette chaleureuse personne qui m'avait accueillie la première fois où j'avais rendu visite au Vaisseau? C'est avec un délicieux mélange de timidité et de fierté qu'il m'avait fait faire le tour du «propriétaire». Son histoire ressemble à celle de tant d'autres qui fréquentent le groupe.

«J'ai été hospitalisé à répétition pendant cinq ans. Ils m'ont traité comme du bétail avec des médicaments pas possibles et des électrochocs. Quand je suis sorti de l'hôpital, j'étais un zombie. Puis, j'ai commencé à aller au Vaisseau d'Or. Au début, je suis resté dans mon coin, sans parler, comme je le faisais depuis cinq ans. Au bout de quelque temps, on est venu me demander d'être animateur. J'ai trouvé ça franchement dur à assumer, surtout dans mon état, mais cela m'a donné la volonté de connaître les gens qui fréquentaient le groupe. J'ai foncé. J'ai commencé à participer aux activités, à assister aux formations, je me suis intéressé à la défense des droits. Ma gêne m'a quitté. Aujourd'hui, quand je vois qu'il y a quelque chose à faire, je n'hésite pas à intervenir, j'aide les gens du groupe, qui est devenu ma famille. Je me suis débarrassé de presque tous mes problèmes. Maintenant, je viens ici tous les jours. Le samedi, c'est moi qui ouvre le local et qui le ferme. Quand il y a un problème, ils m'appellent et je viens tout de suite. J'ai assuré la permanence pendant la période des fêtes et fait en sorte que tout se déroule bien. Je dirais à ceux qui désespèrent de ne pas se laisser aller, de foncer fort. S'ils veulent s'en sortir, ils vont s'en sortir.»

À ce moment-là, Richard vivait encore dans une famille d'accueil qui s'opposait à ce qu'il continue de fréquenter le groupe d'entraide parce qu'elle ne voulait pas perdre en lui le domestique qu'il était devenu dans leur maison. De son côté, les parents de Richard menaçaient de ne plus lui parler s'il quittait cette famille d'accueil. Un jour, Richard a dû appeler Luc à son secours parce qu'on le retenait contre sa volonté. C'est Luc qui, devenu intervenant, a demandé à la police d'aller le chercher et de l'amener à la maison d'hébergement. Quelle n'a pas été la fierté de Luc d'avoir été considéré comme un interlocuteur valable par les policiers, lui qui dans sa vie passée les avait tant craints! Depuis, l'état de Richard s'est amélioré de façon notable. Les psychiatres ne sont pas près de le revoir.

C'est Richard, resté prostré pendant de nombreuses années et probablement longtemps considéré par des observateurs peu attentifs comme un parfait légume, qui a le plus aidé Christian. Voici ce qu'en dit celui-ci: «J'avais de la difficulté avec mes parents, je n'avais pas de travail, j'étais assisté social. J'étais convaincu que jamais je ne pourrais trouver un coin de bonheur sur Terre. Cela me rendait fou. Je me suis mis à avoir mal partout, je pleurais tout le temps. J'ai fini par être hospitalisé en psychiatrie. Là, ils m'ont fait prendre des médicaments qui me donnaient l'impression d'être atteint de paralysie cérébrale. Quand je suis sorti de l'hôpital, j'étais terrifié. Je suis allé au groupe d'entraide et j'y ai rencontré Richard, qui m'a aidé à me reprendre en main. Il m'a encouragé à retourner aux études pour obtenir les diplômes qui me permettront de travailler auprès des adolescents et des jeunes adultes en difficulté.» On voit ici comment Richard a réussi à mettre une autre personne à la dérive sur la voie d'une vie productive et valorisante. Cet exemple illustre bien le dynamisme en cascade de cette chaîne de solidarité qui se forme dans les groupes d'entraide.

Pendant le repas, un jeune homme, réservé au point de passer inaperçu, ne s'attable pas avec les autres, ne parle pas et ne sourit pas. Il se contente de changer les assiettes des convives avec discrétion. Lorsque tout le monde discute à table à la fin du repas, il se met à laver la vaisselle en faisant si peu de bruit qu'on est étonné de voir qu'il a fait, à quelques centimètres de nous, la vaisselle de toute la tablée sans qu'un cliquetis d'assiette ou d'ustensile ne trahisse son patient travail. Dans les grands restaurants, la discrétion est considérée comme une qualité très recherchée. Nous étions donc remarquablement servi par un jeune homme si timide qu'il n'aurait probablement osé adresser la parole à personne. Par contre, la récompense d'une accolade de félicitations devait constituer pour lui un réconfort moral assez puissant pour qu'il cherche à la susciter en se montrant aussi serviable. Ces gestes humbles constituent généralement un prélude à l'acquisition de l'estime de soi et, en ce sens, ils représentent une étape importante à respecter.

Le groupe organise aussi des fêtes et des sorties assez joyeuses si l'on se fie aux scènes de réjouissances, décors, déguisements et sourires dont l'album de photos garde le souvenir et qui dénotent une grande attention apportée à la préparation de ces événements. La participation à des ateliers au choix, que ce soit dans le domaine des arts ou dans celui de la promotion de la santé mentale, vient compléter le tableau des activités.

Tout ne va pas toujours comme sur des roulettes dans les groupes d'entraide. Au début, quand il avait commencé à fréquenter le Tournesol, le premier groupe d'entraide qu'il ait connu, Luc s'était longtemps plaint d'être harcelé par l'un de ses membres. Cela ne l'a pas empêché de trouver dans ce groupe des alliés indéfectibles qui allaient le mettre sur la bonne voie du rétablissement. Certaines périodes sont particulièrement pénibles, comme celle de Noël, où plusieurs ressentent avec angoisse l'abandon de leur famille, et le printemps, période des amours à laquelle ils ne peuvent pas toujours participer. Enfin, il y a les difficultés émotives temporaires de certains et les comportements passagers mais parfois pénibles à supporter des personnes qui sont en processus de sevrage, comportements qui minent le moral des autres sans altérer la solidarité du groupe.

La qualité des locaux est un facteur qui facilite le bon fonctionnement d'un groupe d'entraide. Il est en effet plus facile de créer une ambiance chaleureuse dans un logement spacieux ou, mieux encore, dans une maison bien éclairée par la lumière du jour et située dans un environnement résidentiel agréable. Ces locaux doivent en outre comporter plusieurs aires propices à la conversation et à l'organisation d'activités et, pourquoi pas, une cuisine et une grande salle à manger pour la préparation occasionnelle de repas communautaires. Bref, les locaux doivent donner l'envie de s'y rendre souvent et d'y passer plusieurs heures d'affilée. Puissent certains de nos lecteurs soucieux du bien-être de ces personnes et disposant de locaux à prix très raisonnable offrir leur collaboration aux groupes d'entraide et aux responsables de maisons d'hébergement qui cherchent à procurer à leurs membres un havre de paix et d'amitié donnant envie de se raccrocher à la vie.

Tous les groupes d'entraide ne sont pas arrivés au même niveau de rodage, mais ils en ont sûrement tous le potentiel. Raison de plus pour les personnes ayant des problèmes de santé mentale de s'appliquer à la consolidation d'un groupe local qui réponde à leurs aspirations. La participation active des personnes qui désirent s'en sortir à la mise sur pied ou au renforcement d'un groupe est une excellente façon de se réapproprier les moyens de se débrouiller dans la vie. Il s'en trouve toujours d'assez solides dans un groupe pour prendre des initiatives et aider les autres à s'organiser.

Avec le temps et les échanges d'information entre groupes se raffinent des formules qui font leurs preuves. Le potentiel de ces formules est énorme, et l'on mesure aisément l'importance d'accorder à de tels organismes le financement nécessaire à l'expansion de leur réseau. Car l'expansion future du réseau alternatif en santé mentale ne fait plus de doute. De nouveaux groupes d'entraide devront en effet s'ajouter aux groupes d'entraide actuels souvent déjà remplis à pleine capacité et susceptibles de voir leur efficacité chuter si on les surcharge.

Mais la solidarité avec les personnes souffrant de troubles mentaux devrait-elle se limiter aux groupes d'entraide? Cette solidarité ne devrait-elle pas devenir une attitude normale et automatique dans toute société qui s'estime civilisée? Plusieurs d'entre nous connaissons, directement ou indirectement, une personne ayant des troubles mentaux, que ce soit parmi nos proches, nos amis, nos collègues, nos voisins ou dans notre famille immédiate ou éloignée. Nous rencontrons aussi occasionnellement dans la rue des personnes qui cherchent désespérément à établir un contact significatif qui les empêcherait de sombrer dans la folie ou qui, résignées, se contentent de mendier. Que nous en coûte-t-il de prendre le temps de parler à ces personnes qui se sentent souvent rejetées et, si le contexte s'y prête, de les laisser parler de leurs angoises? Que nous en coûte-t-il de leur faire sentir que nous les croyons dignes d'intérêt et dignes d'accéder à un mieux-être social et psychologique? Comme chez l'alpiniste pour qui un léger contact du doigt sur la roche suffit souvent à compenser l'équilibre précaire des pieds sur la paroi, les contacts positifs quotidiens peuvent empêcher des personnes de perdre pied ou les aider à reprendre pied. De simples gestes font souvent toute la différence. Une société peut-elle s'estimer en bonne santé mentale si elle néglige d'aider tous ses membres à accéder à cette santé?

«Nous les aidons à retrouver leur autonomie.»

Mon expérience en tant qu'intervenant

À force de travailler comme bénévole dans les groupes d'entraide, puis comme intervenant au Tournesol pendant un an, j'avais fini par acquérir une excellente expérience. Aussi, quand un poste d'intervenant s'est ouvert à la maison d'hébergement du Vaisseau d'Or, un centre de transition pour personnes ayant des troubles mentaux situé à Terrebonne à deux pas du local du groupe d'entraide du même nom, j'ai posé ma candidature. Je n'en croyais pas ma chance quand j'ai appris que j'avais été choisi. J'avais quelques appréhensions à entrer officiellement en poste, mais les pensionnaires de la maison d'hébergement avaient entendu parler de moi par les journaux et m'avaient vu à la télévision. Ils étaient très fiers que je vienne travailler auprès d'eux. Ils me considéraient comme un expert-conseil et j'ai fait en sorte de ne pas les décevoir.

Le concept de la maison d'hébergement est encore récent et sa formule est en constante évolution. Il faut cependant constater que les résultats obtenus jusqu'à maintenant dépassent toute espérance. La maison d'hébergement du Vaisseau d'Or a été mise sur pied en 1994, soit six ans après le groupe d'entraide du même nom. Elle accueille des personnes qui viennent de recevoir leur congé de l'hôpital psychiatrique et qui ont exprimé la volonté d'entreprendre des démarches concrètes pour s'en sortir. Le nombre de chambres est limité, tout comme notre budget. Seulement huit pensionnaires peuvent y demeurer à la fois, et leur séjour dure entre trois et douze mois.

Cette transition supervisée leur est particulièrement utile. Ce n'est pas évident au sortir de l'hôpital de reprendre sa vie en main quand, depuis des mois, on a fait l'apprentissage de la dépendance: les repas viennent sur un plateau et le lit se fait tout seul. Ce n'est pas simple non plus de s'ajuster à la vie quand on a été fortement médicamenté, quand on a perdu la plupart de ses amis, quand on s'est brouillé avec la famille et quand l'estime de soi est à zéro. Dans le réseau institutionnel, les pensionnaires ne gèrent pas non plus leurs médicaments, ni leur budget. Nous leur apprenons à planifier leur alimentation, à s'occuper de leurs médicaments, à fonctionner de façon autonome, à contrôler leur angoisse et à apprivoiser la réussite par de petits gestes quotidiens. À leur arrivée, ils ne connaissent pas encore les groupes d'entraide. Nous faisons le nécessaire pour encourager la fréquentation de tels groupes. Le groupe d'entraide est situé à quelques centaines de mètres de la maison d'hébergement, ce qui est très pratique. Les pensionnaires sont libres de leurs allées et venues. Si nous intervenons pour les aider, nous savons aussi les laisser se débrouiller par eux-mêmes. Bref, nous les encourageons à retrouver leur autonomie.

Les gens que nous recevons sont des hommes et des femmes qui pensaient ne jamais pouvoir s'en sortir: ils ont vécu plusieurs hospitalisations, fait des tentatives de suicide. Ils sont dans l'état où j'étais quand je suis sorti de l'hôpital. Au début, nos pensionnaires nous perçoivent comme des préposés d'aile psychiatrique, comme si nous étions là pour les surveiller et faire la police. Nous devons leur expliquer qu'ils ne se trouvent pas dans une garderie et que leur séjour a pour objectif de leur faire prendre en main leur rétablissement et de leur faire retrouver leur indépendance.

Cette façon d'envisager leur traitement leur paraît totalement nouvelle, eux qui n'ont généralement jamais reçu de vrais services et qui n'ont jamais été suivis dans le cadre d'une vraie thérapie. Tout à coup ils découvrent qu'ils peuvent avoir accès à un large éventail de services: ils ont de la difficulté à croire que de telles ressources puissent exister. Eux qui n'ont pas confiance en eux-mêmes sont encore moins habitués à faire confiance aux autres. Ils sont, au commencement, désorientés de se trouver dans un endroit où ils sont reçus à bras ouverts: depuis longtemps ils étaient souvent rejetés, où qu'ils aillent. De plus, tout leur paraît si inaccessible, à commencer par leur rétablissement. Mais leur expérience dans la maison d'hébergement finit par les convaincre de laisser tomber leur méfiance et de se donner enfin une chance.

La maison d'hébergement est loin d'être une colonie de vacances. Les pensionnaires qui y logent doivent travailler activement à leur rétablissement. L'aide apportée est plus structurée que dans les groupes d'entraide. Soutenus par des intervenants, les pensionnaires doivent se fixer des objectifs en vue d'augmenter leur compétence sociale et matérielle, planifier les démarches à entreprendre et obtenir, s'il y a lieu, des conseils sur la façon de mener à bien ces démarches. Quelquefois, les objectifs sont modestes au début, par exemple ranger sa chambre ou faire son lavage. Bien des choses leur apparaissent encore comme une montagne, et rien ne sert de les presser. Au fil du temps, nous fixons des objectifs plus élaborés. Nous essayons toutefois d'éviter que nos pensionnaires ne placent la barre trop haut, trop vite. Comme la plupart des personnes qui ont des troubles mentaux, ils ont tendance à vouloir tout ou rien. Plusieurs de nos pensionnaires ont voulu reprendre prématurément des cours au cégep ou à l'université ou encore retourner sur le marché du travail sans avoir pris le temps d'acquérir une bonne maîtrise de leur vie. Nous voulons leur éviter d'affronter des situations et des échecs qui risquent de miner leur moral. Nous leur conseillons de consacrer leur énergie à se rétablir et de différer de quelques mois leurs projets ambitieux.

Il est tout à leur avantage de profiter des ressources que nous mettons à leur disposition tant que nous sommes là pour les aider à retrouver leur bien-être. On ne se lève pas du jour au lendemain en disant «je vais bien, je prends un appartement, je retourne travailler». Sans estime de soi, peut-on vraiment passer une entrevue pour obtenir un emploi? Tant que nos pensionnaires n'ont pas le sentiment que leurs entreprises peuvent être couronnées de succès, leurs chances de réussite sont compromises. Nous ne les encourageons à retourner aux études ou sur le marché du travail que lorsqu'ils ont acquis une assurance et une autonomie suffisantes, ce qui ne tarde d'ailleurs pas beaucoup dans la plupart des cas. Après quelques mois passés à la maison d'hébergement, ils peuvent généralement se prendre un appartement et continuer de fréquenter, ce que nous leur suggérons fortement, un groupe d'entraide pour parfaire leur rétablissement et obtenir le soutien nécessaire pour faire face à la vie.

Chez plusieurs de nos pensionnaires, nous constatons assez rapidement des améliorations notables. Pour ceux qui mettent plus de temps à prendre conscience de ce qui se passe, ces changements sont plus longs à se manifester, et ce n'est qu'après plusieurs mois que nous sommes en mesure de voir le chemin parcouru. Quand ils arrivent à la maison d'hébergement, ils ont d'emblée notre affection. Nous disons à chaque nouveau que nous ne sommes pas là pour le juger. Je lui explique que je suis passé par là et cela le met en confiance, même s'il lui est difficile de croire que cela ait pu m'arriver. Les pensionnaires me voient comme un expert et viennent souvent me consulter pour savoir ce que je faisais quand telle ou telle situation se présentait. Je suis intéressé à transmettre ce que je sais, et je leur explique comment je m'en suis tiré dans des circonstances similaires tout en m'abstenant de leur dire quoi faire.

Ils sont libres de mettre en application ou non les recettes qui ont réussi à d'autres et d'élaborer éventuellement les solutions qui leur conviennent. Nous les amenons à prendre des décisions pour se prendre en main, mais nous ne prenons aucune décision à leur place, ce qui ne leur rendrait pas service. C'est particulièrement vrai pour la décision de continuer ou non à prendre des médicaments. Nous estimons qu'il leur appartient de se faire une idée de ce qu'ils désirent pour eux-mêmes et nous les aidons à concrétiser leurs décisions s'ils en éprouvent le besoin. Une fois qu'ils ont pris une décision, ils sont disposés à l'assumer, ce qui ne serait pas le cas si on leur avait imposé cette même décision.

Je sais combien il est important de leur redonner cette capacité de décider de façon autonome. Quand on me taxait de «malade mental», on me faisait sentir que je n'avais pas le droit de savoir, d'analyser et de prendre des décisions. Ici, c'est le contraire. Nous encourageons nos pensionnaires à savoir, à analyser, à juger, à trouver des solutions et à les mettre en application. C'est pourquoi d'ailleurs nous tenons à ce que la demande d'admission dans notre maison d'hébergement soit faite par la personne concernée. Nous sommes aidés en ce sens par les équipes du CLSC et du centre hospitalier de notre région, qui nous envoient des candidats ayant exprimé le désir de faire un pas en direction de leur rétablissement. Mais il est rare que les personnes internées dans les diverses institutions du réseau connaissent l'existence de maisons d'hébergement comme la nôtre. Si on était à leur écoute, on constaterait qu'une forte majorité d'entre elles serait tout à fait disposée à faire le saut. Nous serions submergés par les demandes. Nos ressources étant limitées pour des raisons financières, nous ne pourrions de toute façon toutes les accueillir. Reste à souhaiter que les décideurs publics prennent conscience de l'efficacité de la formule et qu'ils débloquent des fonds pour la création de nouvelles maisons de transition.

Lorsque nous aidons quelqu'un, nous fixons une limite où nous nous arrêtons. Au début, lorsqu'une personne sort d'une crise, il est parfois nécessaire de prendre les devants pour lui ouvrir des portes, prendre des rendez-vous. Puis, à force d'encouragements, cette personne se met à prendre des initiatives. Nous nous rangeons alors à ses côtés pour la laisser agir, puis, éventuellement, nous nous mettons derrière elle pour la laisser apprendre à organiser sa vie comme bon lui semble. C'est ça un vrai processus d'accompagnement. À la demande des bénéficiaires, je les accompagne au début dans leurs démarches, je les présente à d'autres personnes, en particulier à celles qui fréquentent le groupe d'entraide. Certains d'entre eux ont en effet très peur d'être rejetés et de se trouver face à face avec d'autres. Nous les aidons à surmonter cette crainte.

Il arrive aussi que j'accompagne des pensionnaires à leurs rendez-vous chez le psychiatre. Une de nos pensionnaires avait peur de son psychiatre, et ses craintes me paraissaient fondées. Elle était surmédicamentée. Elle recevait, entre autres, une combinaison de deux neuroleptiques: du Haldol en injection et du Modecate en comprimés. Ces médicaments l'épuisaient et la rendaient incapable de s'adonner à la musique, sa passion, et de participer aux activités organisées par le groupe d'entraide. Elle souffrait aussi d'une envie de bouger prononcée occasionnée par la prise de ces médicaments. Elle avait déjà demandé à son psychiatre de réduire ses doses, mais il avait refusé. Selon lui, les médicaments lui permettaient de vivre hors de l'hôpital et la diminution de ses doses ne lui aurait pas rendu service.

Devant l'insistance de sa cliente, il avait pris le parti de la priver d'ordonnance, cette ordonnance si essentielle pour lui éviter de tomber en sevrage brusque, celui-ci débouchant quasi automatiquement sur une rechute grave et sur une réhospitalisation. Elle avait quitté le bureau du médecin en rage. Il avait donc cyniquement décidé de précipiter une crise pour lui donner une leçon, à moins que ses connaissances en pharmacologie aient été particulièrement limitées et qu'il ait agi ainsi par ignorance, ignorance que semblent partager de trop nombreux psychiatres. J'ai donc dû téléphoner à ce psychiatre pour lui rappeler qu'il avait la responsabilité professionnelle de donner à sa cliente une ordonnance lui permettant de préserver son état mental et physique. C'était le choix de cette pensionnaire de diminuer ses doses, je ne l'ai pas laissée tomber.

La fois suivante, je me suis rendu chez le psychiatre avec elle, mais je me suis gardé de me battre à sa place, la laissant apprendre à se débrouiller avec lui. Si elle n'apprenait pas à se défendre, comment ferait-elle quand nous ne serions pas là pour l'aider? J'ai toutefois expliqué au psychiatre que je connaissais sa cliente, que je ne l'avais jamais vue en crise et qu'elle participait à la vie de la maison d'hébergement avec beaucoup de présence mais que, malheureusement, il ne lui restait pas suffisamment d'énergie pour se consacrer aux activités qui auraient contribué à son épanouissement. J'ai ensuite donné champ libre à notre pensionnaire pour le reste de l'entrevue. Elle a demandé à son psychiatre de lui expliquer ce qu'étaient les neuroleptiques. Il a tout simplement répondu qu'il s'agissait de tranquillisants. Je n'ai pas pu m'empêcher de dire: «C'est tout, docteur?» Il n'a rien ajouté. Il est pourtant tenu par la loi d'expliquer clairement à ses patients la nature et l'utilité des médicaments qu'il prescrit ainsi que les effets secondaires auxquels ils sont exposés. Elle lui a aussi demandé si elle allait recevoir des injections encore longtemps. Il lui a répondu que c'était pour toute la vie. Il a cependant précisé qu'il avait besoin de son consentement pour lui donner des médicaments — il n'aurait sûrement pas dit cela si je n'avais pas été là — mais qu'elle n'avait pas vraiment le choix vu sa condition. Il lui a toutefois accordé ce qu'elle demandait, c'est-à-dire une diminution de ses doses. Maintenant, elle gère elle-même ses médicaments dont les doses ont progressivement été réduites, elle est active et fait de la musique comme elle le désirait.

Un autre de nos pensionnaires nous était arrivé en état de choc et de psychose. Il avait essayé de se suicider et, quand les policiers étaient intervenus, il les avait implorés de l'abattre. Il était d'autant plus enragé qu'un des policiers à qui il s'était adressé lui avait répondu qu'il n'était pas en mesure de le tuer parce qu'il n'avait sur lui qu'un pistolet à eau. Aujourd'hui, grâce à l'attention qu'il a reçue à la maison d'hébergement et au groupe d'entraide, il ne prend plus de médicaments et ne fait plus de psychoses. Il doit encore continuer à apprendre à s'aimer, comme beaucoup de ceux que nous recevons, mais son état s'est amélioré de façon très encourageante. Au bout de quelques mois, il a été capable de vivre de façon autonome, de trouver du travail et de se faire une petite amie.

Nous avons aussi reçu, entre autres, un jeune homme que l'on disait schizophrène chronique, un de ces cas lourds et persistants que l'on croit irrécupérables. Il ne travaillait plus depuis dix ans. Il s'était fait remarquer par son empressement à se proposer pour la vaisselle et les travaux de peinture. Tout le monde le remerciait et il en tirait une grande satisfaction. Un jour, il m'a regardé droit dans les yeux et m'a dit: «C'est fini, je retourne travailler.» Nous avons alors établi un plan pour lui permettre de concrétiser son projet. Sevrage graduel des médicaments dans un premier temps et fréquentation d'un centre d'insertion dans le marché du travail. Aujourd'hui, il travaille sur une chaîne de montage, comme il l'avait fait avant d'éprouver ses troubles mentaux, et il est heureux d'avoir retrouvé sa place parmi ses camarades de l'usine.

Il nous arrive cependant de nous heurter à des échecs. À preuve cette jeune femme qu'il nous a été difficile d'aider parce qu'elle n'avait elle-même ni la force ni le désir de s'en sortir. Le dicton dit bien qu'on peut toujours amener un cheval à la rivière mais qu'on ne réussira pas à le faire boire s'il ne le veut pas. Elle était si paranoïaque et si terrifiée qu'elle ne pensait qu'à prendre des médicaments pour geler ses émotions et à retourner à l'aile psychiatrique afin d'obtenir un semblant de sécurité. La prise de médicaments et l'hospitalisation, par contre, lui enlevaient toute qualité de vie, et nous lui répétions qu'il était important qu'elle fasse des efforts, qu'elle ait un début de volonté pour s'en sortir. C'est la seule pensionnaire que nous ayons retournée à l'hôpital. Dans le groupe d'entraide affilié à la maison d'hébergement, lequel est sur pied depuis bientôt dix ans, on a rarement observé un tel retour en arrière.

Le processus de rétablissement n'est pas facile: c'est un parcours pénible, souffrant. On n'en voit pas toujours l'aboutissement, surtout au début. Les rechutes elles-mêmes font partie du processus. J'ai fait beaucoup de rechutes avant de me rétablir de façon bien assurée. Les gens qui m'ont observé de l'extérieur pendant mon processus de rétablissement ont dû être bien découragés de me voir tomber si souvent. Nous sommes patients, chacun de nos pensionnaires a le droit d'aller à son rythme, et il est inutile de bousculer qui que ce soit. Si cette jeune femme le désire, nous serons à nouveau là pour la recevoir à la sortie de l'hôpital et tout aussi disposés à l'aider à reprendre pied.

En tant qu'intervenant, je suis maintenant appelé à siéger à des comités en santé mentale, et je me retrouve occasionnellement à la même table que les psychiatres qui m'avaient soigné. Je les découvre affichant une attitude courtoise, généreuse, souriante, si différente de celle qu'ils adoptaient quand j'étais leur patient. C'est comme s'ils avaient deux visages, celui qu'ils réservent à leurs patients et celui qu'ils montrent au monde extérieur.

En 1996, je suis retourné à l'aile psychiatrique où j'avais été traité pour négocier un protocole d'entente au nom de notre groupe d'entraide. La responsable de l'étage n'était pas la même qu'au moment de mon hospitalisation. Elle ne se doutait pas que j'y avais été hospitalisé. J'ai eu droit à la visite en règle de l'aile. En cours de route, j'ai demandé à voir une pièce qui restait fermée. Quand on m'a ouvert la porte, j'ai vu un homme en jaquette d'hôpital, seul dans une grande chambre où il n'y avait pour tout mobilier qu'un lit avec des sangles. Il n'y avait ni table, ni tableaux sur les murs, ni téléviseur, ni papier pour écrire, rien pour s'occuper. On m'a précisé que l'individu était en «plan de chambre», bref en isolement thérapeutique. Le pauvre gars était donc enfermé là depuis plusieurs semaines sans avoir le droit de voir qui que ce soit. Les visites lui avaient été défendues. Trois fois par jour, il faisait sous escorte une brève sortie. J'ai demandé à l'infirmière le but de cet isolement dit thérapeutique pour l'entendre répondre qu'il était là «pour réfléchir». Je lui ai fait remarquer qu'elle-même deviendrait folle si elle restait si longtemps dans de telles conditions de détention.

J'ai alors exprimé le désir de parler à cet homme, mais on m'a rétorqué que cela n'était pas possible. J'ai insisté, c'était peine perdue. La visite de l'aile ayant duré un certain temps, l'infirmière en chef a été temporairement appelée pour une urgence. Un préposé a alors profité de cette absence pour s'approcher de moi et me dire qu'il estimait inhumain de laisser une personne dans un tel isolement. Il a pris la responsabilité de m'introduire dans sa chambre. Je n'ai eu aucune difficulté à établir un contact avec cet homme pendant la demi-heure qu'a duré notre entretien. Il n'avait vraiment rien d'un dangereux aliéné. Par la suite, des représentants du groupe de défense Pleins Droits Lanaudière ont demandé de rencontrer à ce sujet le directeur des services professionnels de l'hôpital, qui a affirmé ne pas être au courant de la pratique de l'isolement thérapeutique, pratique qu'il trouvait d'ailleurs inacceptable. Nous nous sommes rendu compte que personne ne supervisait le travail des psychiatres à l'hôpital; ils font ce qu'ils veulent sans craindre d'être inquiétés. La hiérarchie décisionnelle en ce qui concerne la santé mentale s'arrête au directeur du département de psychiatrie. C'est avec lui que nous allons négocier pour obtenir que les choses changent.

Puis est venue l'heure de la rencontre avec l'équipe du département. J'avais parlé à l'infirmière en chef de l'intention de notre groupe d'entraide d'établir un protocole d'entente en vue d'obtenir la permission de visiter les patients hospitalisés même en dehors des heures de visite quand ils feraient appel à nous. Nous voulions aussi être autorisés à les informer des autres possibilités de traitements qui s'offraient à eux. Enfin, nous voulions obtenir de pouvoir venir chercher à l'occasion ceux qui ne sortaient jamais pour les accompagner en sortie. Elle m'a répondu sèchement qu'il n'en était pas question. Quand le chef du département est arrivé, je lui ai fait part de notre projet en ajoutant que, au prix que nous coûtaient les services en santé mentale, nous, les clients, avions droit à des services adéquats. Comme j'étais membre du comité consultatif en santé mentale de la régie régionale de Lanaudière, j'étais bien placé pour connaître les sommes faramineuses affectées au maintien des services psychiatriques qui répondent si mal aux besoins des consommateurs que nous sommes, nous qui vivons des problèmes de santé mentale.

Je dois avouer qu'au cours des années j'ai appris à parler le langage des psychiatres. J'ai compris qu'il était important d'utiliser le même vocabulaire qu'eux pour capter leur attention et les amener à comprendre où nous voulons en venir. J'ai aussi acquis de bonnes notions de pharmacologie. J'ai donc profité de l'occasion pour leur demander si le département de psychiatrie était disposé à collaborer avec ceux qui exprimeraient le désir d'entreprendre un sevrage. Le psychiatre en chef m'a répondu: «Vous êtes doublement expert, tout d'abord en tant qu'usager, ensuite en tant qu'intervenant. Je m'engage donc à recommander à mes psychiatres de favoriser le sevrage.» Il y avait enfin une lueur d'espoir sur nos possibilités ultérieures de collaboration.

Commentaires

Luc, qui a vécu un certain temps dans la peau d'un psychiatrisé, a donc fini par devenir un intervenant dans le domaine de la santé mentale, fonction qu'il assume avec un grand sens des responsabilités et un doigté certain. La maison d'hébergement où il travaille constitue un complément logique au groupe d'entraide auquel il est affilié. Un certain nombre de personnes qui sortent d'une hospitalisation en psychiatrie ont en effet avantage à bénéficier d'un soutien plus intensif pendant quelques mois, soutien qu'ils trouvent dans les rares maisons d'hébergement alternatives qui existent au Québec, à ne pas confondre avec les foyers de transition institutionnels. Ce système complémentaire qui associe la maison d'hébergement et le groupe d'entraide est un modèle qui ne peut qu'augmenter les chances de réinsertion sociale des personnes qui en bénéficient.

On observe partout dans monde des expériences qui démontrent que la transition vers une vie sans médicaments est une chose réalisable. De 1971 à 1983, le psychiatre Loren Mosher avait lui aussi mis sur pied, à l'intention de jeunes schizophrènes en crise, un groupe de maisons d'hébergement à San José, en Californie, connu sous le nom de Soteria House. Au cours de cette période, ces maisons ont accueilli près de 200 schizophrènes. Mosher a relaté son expérience dans un livre[1] et dans de nombreux articles scientifiques. Après leur séjour à Soteria House, ces personnes se montraient nettement mieux adaptées à la vie en société, résultats qui ont été confirmés par une série d'études rigoureuses. Faute de financement, le projet a dû être abandonné après plusieurs années de fonctionnement fructueux.

L'établissement, en 1984, d'une maison d'hébergement similaire à Berne, en Suisse, connue sous le nom de Soteria Berne et dirigée par le Dr Luc Ciompi jusqu'au moment de sa retraite a donné les mêmes résultats. Cette maison de douze pièces peut recevoir, sous la supervision de deux employés, de six à dix personnes à la fois, ces personnes ne recevant pas de médicaments ou peu. Ces expériences dont les résultats ont été publiés dans le *British Journal of Psychiatry*[2] ont montré que de nombreux jeunes schizophrènes pouvaient être aidés sans qu'il y ait recours à des médicaments. Les foyers thérapeutiques communautaires de Windhorse sont un autre exemple d'expérience de traitement de schizophrènes sans médication. Cette expérience, qui a fait l'objet d'un livre[3], confirme qu'il est raisonnable de penser que les personnes psychotiques bénéficiant d'un encadrement communautaire puissent retrouver une qualité de vie appréciable tout en se passant de médicaments.

---

1. Mosher L. & L. Burti. *Community Mental Health: Principles and Practice*. New York, Basic Books, 1989.
2. Ciompi, L. et al. «The Pilot Project "Soteria Berne": Clinical Experiences and Results», *British Journal of Psychiatry*, 161 (supplement), 1992, p. 145-153.
3. Podvoll E. M. *The Seduction of Madness*. New York, Harper Collins, 1990.

Il existe de nombreux autres projets similaires aux États-Unis, dont celui que dirige à Littleton, au New Hampshire, le psychothérapeute David Goldblatt et celui de la communauté coopérative de Cuttingsville, au Vermont. Plus près de nous, au Québec, les responsables du bloc 388 de l'hôpital Robert-Giffard, où sont traités de jeunes psychotiques, préconisent un traitement qui permet à l'usager de prendre sa situation en main. Cette approche rend possible le retrait progressif des médicaments tout en permettant à la personne de continuer de vivre dans son milieu.

La formule des maisons d'hébergement de transition alternatives qui travaillent en tandem avec des groupes d'entraide, formule qui prend forme actuellement au Québec, constitue, par rapport à toutes ces autres formules, un pas supplémentaire dans la recherche d'une solution globale et humanitaire aux problèmes sociaux que soulèvent les troubles mentaux. Elle présente aussi l'énorme avantage d'être particulièrement économique comparativement aux autres formules mises de l'avant partout ailleurs. Ces dernières se heurtent en effet souvent à de graves problèmes de financement qui nuisent à la généralisation de leur mise en application en dépit du fait qu'elles soient généralement moins coûteuses que les traitements psychiatriques traditionnels. En ce sens, par un concours de circonstances, le Québec pourrait se retrouver à l'avant-garde du traitement alternatif en santé mentale. Les artisans de cette évolution ont tout lieu d'en tirer fierté. Le nombre de places en maison d'hébergement est malheureusement trop limité, et il y aurait lieu d'en créer de nouvelles. Il apparaît en effet primordial de favoriser le parachèvement de ce réseau alternatif de façon que toutes les personnes et toutes les familles qui en éprouvent le besoin puissent compter sur des services alternatifs en santé mentale capables de les aider à surmonter leurs difficultés dans la plus grande dignité.

Quelle proportion des personnes aux prises avec des troubles mentaux est-il possible d'aider de façon significative au moyen de ces méthodes alternatives? Ces dernières ne constituent probablement pas une panacée universelle et ne prétendent pas apporter une solution à tous les cas. Mais il est évident qu'une très grande majorité de ces personnes pourrait en tirer un énorme profit et que les résultats pourraient être améliorés si le réseau alternatif disposait de moyens financiers plus adéquats.

Ces méthodes se révèlent plus particulièrement efficaces pour le rétablissement de jeunes schizophrènes dont le passé psychiatrique est relativement récent. Puisqu'ils ne sont pas encore marqués de façon difficilement réversible par leur expérience de l'exclusion et de la déchéance, il est plus facile de les amener à apprendre à vivre des émotions qu'ils n'ont jamais connues, à établir des contacts qui leur seront utiles pour le maintien de leur santé mentale, à adopter des comportements compatibles avec la vie en société. Mais ce qui distingue des autres ceux qui s'en sortent, qu'ils soient jeunes ou plus âgés, est sans conteste leur tendance naturelle à se poser des questions et à chercher des réponses. Car une bonne partie du processus de rétablissement consiste à essayer de comprendre l'expérience psychotique personnelle en la confrontant à celle de personnes ayant vécu des expériences similaires et en identifiant peu à peu, au fil des conversations avec ceux qui s'en sont sortis, des éléments de réponse adaptés à la situation de chacun.

L'établissement d'échanges au sein du groupe d'entraide apparaît donc comme un préalable au processus de rétablissement. Sans désir d'introspection et d'expériences nouvelles, il y a peu de chances de salut. Cela exige des personnes concernées une participation active et volontaire, mais cette participation peut se faire de façon graduelle, et il ne saurait être question de bousculer l'évolution naturelle de chacun. Il est en effet essentiel de respecter le rythme personnel de restauration d'un dynamisme de communication qui ne peut venir que de l'intérieur, quitte à patienter de longs mois avant de constater un début d'évolution. Luc lui-même a mis du temps à voir le potentiel des groupes d'entraide, et ce n'est que lorsqu'il a compris les bénéfices qu'il pouvait tirer à les fréquenter qu'il a réellement commencé à progresser. D'où l'importance de faire circuler une information accessible concernant l'utilité de ces groupes.

En un sens, les groupes d'entraide ressemblent aux groupes d'alcooliques anonymes qui réunissent des individus cherchant à sortir de leur détresse psychologique. La différence essentielle tient dans ce que certains alcooliques ont de la difficulté à renoncer à l'alcool tandis que les personnes ayant des troubles mentaux souhaitent fortement éviter de retomber dans des états psychotiques qu'ils ont généralement en aversion. C'est ce qui explique que l'espoir offert par les groupes d'entraide aux personnes souffrant de troubles mentaux constitue un outil de motivation extrêmement puissant. Les personnes maniacodépressives, par contre, gardent souvent la nostalgie des moments d'euphorie associés à la manie et doivent lutter, tout comme les alcooliques, contre le désir de se laisser entraîner dans un état d'ivresse psychologique qui finit par leur être néfaste. Cela n'empêche pas de nombreux maniacodépressifs de se joindre aux groupes d'entraide et d'apprendre à vivre mieux leur condition au prix d'un investissement personnel important.

On serait étonné de voir combien de personnes coupées de toute communication significative depuis des années finissent par émerger de leur isolement mental après quelques mois de fréquentation de groupes d'entraide. Richard, dont nous avons parlé dans le chapitre précédent, ne parlait plus depuis cinq ans quand il est venu pour la première fois au groupe d'entraide. Aujourd'hui, non seulement il participe activement aux discussions, mais il sait écouter et guider judicieusement les nouveaux venus qui éprouvent des difficultés d'expression. De plus, si nous nous étions fondés sur le dossier médical de Luc pour estimer ses capacités personnelles à prendre sa vie en main, nous nous serions lourdement trompés. Après avoir passé quelques mois dans le réseau alternatif, Luc s'est révélé être complètement différent du portrait que la psychiatrie brossait de lui: capacités intellectuelles limitées, comportement enfantin, passif et irresponsable. Difficile de faire coïncider ce portrait avec la réalité de cette personne intelligente, active et dévouée au bien-être de ses pairs et de son entourage.

Aucun cas ne saurait donc être considéré comme désespéré, même après de longues années d'errance mentale, dans la mesure où la personne concernée désire entreprendre des démarches pour se rétablir. Le groupe d'entraide auquel elle se joint doit aussi présenter un équilibre adéquat dans sa composition. Idéalement, un groupe d'entraide doit comprendre des personnes représentatives de tous les stades du rétablissement, ce qui permet à ceux dont la situation est la plus difficile de côtoyer des individus qui se sont sortis de leurs problèmes. La plupart des groupes d'entraide réussissent à maintenir cet équilibre. Ce groupe doit aussi idéalement avoir atteint un certain niveau de maturité. Le renforcement de liens entre groupes devrait permettre l'amélioration du fonctionnement de tous les groupes, quel que soit leur emplacement géographique.

On rencontre encore dans des institutions officielles des personnes d'âge mûr forcées de prendre des médicaments psychiatriques et qui estiment pouvoir s'en passer et se prendre en main. Ces personnes disposées à entreprendre des démarches pour se sortir de leur condition sont aussi des candidats tout indiqués pour le réseau alternatif, même après des décennies de dépendance et d'internement. Tant que subsiste une lueur d'espoir, le dynamisme intérieur qu'elle dénote constitue une force propice à la construction d'une meilleure qualité de vie. Dans tous les cas, cette lueur d'espoir devrait être prise au sérieux.

À quel genre de rétablissement devrait-on s'attendre dans la plupart des cas? Là encore, il demeure impossible de le prévoir. Un certain nombre de personnes sortent manifestement grandies de l'expérience. C'est le cas de Luc, qui mène aujourd'hui une vie nettement plus intéressante qu'avant son hospitalisation en psychiatrie. D'autres, que les traumatismes ont trop marqués, garderont toujours des cicatrices émotives qui les retiendront d'embarquer pleinement dans la vie, ce qui ne les empêchera pas de mener une existence presque normale et nettement plus satisfaisante que s'ils étaient restés dépendants de la psychiatrie traditionnelle. D'autres enfin, qui ont dû abandonner de brillantes études ou une carrière, ne retrouveront pas nécessairement leur prestance initiale, mais n'en seront pas moins rassurés sur leur capacité de réintégrer la société, dans la mesure où leurs ambitions ne sont pas démesurées. Dans presque tous les cas, le passage par un groupe d'entraide se sera traduit par une transformation des valeurs fondamentales, l'amitié et le sens du partage remplaçant bien souvent les désirs de possession et les ambitions sociales qui les motivaient auparavant. Ce qui explique que beaucoup d'entre eux se sentent riches de l'expérience humaine que leur a permis de vivre leur rétablissement et moins concernés par les valeurs matérielles. Leur nouvelle vie, en ce sens, peut leur sembler plus satisfaisante.

«Je ne puis que m'émerveiller de constater qu'un flocon
de neige infiniment petit peut, quand il s'unit
à d'autres flocons, recouvrir l'infiniment grand.»

L'avenir de la santé mentale

Je fais maintenant partie du conseil consultatif en santé mentale de la Régie régionale de Lanaudière. Dans ce comité constitué de 22 membres, on trouve des psychiatres, des psychologues, des infirmières, un coordonnateur des ressources en santé mentale, des directeurs d'établissement et un représentant des proches et amis des personnes ayant des problèmes de santé mentale. Il y a aussi des gestionnaires qui sont appelés à donner eux aussi leur avis sur les orientations à prendre, même s'ils sont généralement peu familiers avec les questions de santé mentale. Il y a enfin des représentants d'organismes communautaires et, depuis peu, trois usagers, dont moi-même. Depuis qu'il y a des usagers dans le comité, le langage utilisé au sein de ce comité pour nous désigner a bien changé. Au début, nous étions des malades mentaux, ensuite nous sommes devenus des bénéficiaires, puis des clients. Maintenant, on commence à parler de nous comme des personnes. J'ose espérer qu'il ne se trouvera désormais plus d'intervenants dans le domaine de la santé mentale pour dire que le mot «personne» signifie que les gens qui souffrent de troubles mentaux ne sont personne et que, par conséquent, ils n'ont pas vraiment de droits.

Je commence à me sentir à l'aise dans ces comités. Je dois avouer cependant que j'ai fait une brève crise pendant une réunion, un jour où il s'agissait de répartir un budget entre diverses maisons d'hébergement. La plupart des membres du comité n'y ont vu qu'un spectaculaire éclat de voix, mais ceux qui me connaissent ont réalisé que j'étais entré dans un état second pendant quelques secondes, que j'avais eu une absence. Je ne me souviens plus de ce que j'ai dit à ce moment-là, car un autre personnage avait pris ma place. Un psychiatre s'était avisé de dire qu'il exigeait que les personnes fréquentant le centre psychiatrique de jour habitent là où il leur dirait d'habiter. Cette position concernant des gens qui ont légalement toute leur liberté allait à l'encontre de la nôtre. Nous estimons que ces personnes doivent habiter là où cela leur convient. Je ne pouvais accepter qu'on veuille brimer ainsi leur liberté. Je ressentais la même angoisse, en écoutant ces gens exprimer leur volonté d'exercer un contrôle sur tous les aspects de la vie des personnes ayant des problèmes de santé mentale, que celle que j'avais éprouvée quand on m'a enfermé et mis en contention. Cela avait suffi à me faire entrer en transe.

On m'a dit par la suite que j'étais intervenu de façon à la fois violente et cohérente. J'avais invoqué des articles de loi et précisé les limites du pouvoir des psychiatres. Je leur avais dit: «Qui êtes-vous pour décider ainsi à la place des autres? Vous ne vous en privez pas quand nous sommes en cure fermée. Qui vous permet d'outrepasser nos droits même quand nous ne sommes plus sous votre juridiction?» En tout autre temps, rassurez-vous, je me comporte de façon courtoise et posée.

Je dois dire toutefois que notre Régie régionale commence à être progressiste. Par rapport à d'autres régions, nous sommes en avance. Il est vrai qu'ailleurs les régies n'ont pas encore toujours donné aux usagers la place qui leur revient autour des tables de concertation. Pourtant, ces derniers devraient occuper une place de choix quand vient le temps de prendre des décisions qui les concernent. Cette situation ne fait que retarder une révolution dans le domaine de la santé mentale qui serait à l'avantage de tout le monde.

Par l'entremise de ce comité, nous avons obtenu la mise sur pied d'un groupe de travail sur la médication et le sevrage. Les membres affectés à ce dossier se rendent compte qu'il est important de fournir l'aide requise à toute personne désirant entreprendre un sevrage. Je constate, quand je donne des formations sur les médicaments psychiatriques, que le nombre de personnes qui veulent se sevrer est élevé. Nous avons bon espoir que les démarches entreprises aboutiront sur la mise en place de services d'information et d'accompagnement pour les personnes désirant diminuer leur médication ou sur l'implantation de centres de sevrage similaires à ceux qui existent pour le sevrage des drogues.

Nous comptons aborder bientôt la question des centres de crises alternatifs. Ce sont des endroits où les personnes qui sont en crise ou qui sentent venir la crise pourraient se présenter et où elles seraient traitées en toute dignité. Quand des personnes en état de prépsychose se présentent à l'hôpital et demandent à être hospitalisées de façon préventive, elles se font dire de retourner chez elles et de revenir quand la crise sera déclarée. Quelle réaction invraisemblable quand on sait combien il est important d'aider les gens avant que la crise ne se déclenche. Ce n'est pourtant pas si compliqué de désamorcer une crise et d'apporter une aide avant qu'il ne soit trop tard!

Je me souviens d'une occasion où l'on ne m'avait accordé aucune attention à l'urgence parce que mon état mental n'était pas suffisamment grave aux yeux des personnes présentes pour justifier une intervention autre que le suivi que je recevais en clinique externe. On s'était contenté de me dire: «Pas encore toé icitte?» J'ai dû retourner à la maison avaler le contenu d'une bouteille de pilules et revenir à l'urgence sur une civière pour que l'on accepte de m'hospitaliser. J'ai été traité pour cet empoisonnement, mais mon appel à l'aide a laissé tout le monde indifférent. C'était évidemment à l'époque où je croyais encore que la psychiatrie pourrait m'aider.

Au cours de ces dernières années, nous avons tout de même réussi à obtenir l'établissement d'une ligne téléphonique de crise dans Lanaudière pour les plus de 12 ans. C'est un premier pas dans la direction d'une action plus globale. Dans cette région, il y a toujours deux intervenants en poste pour répondre aux appels de personnes en difficulté entre 17 heures et 5 heures le lendemain matin. Déjà ces moyens modestes permettent de désamorcer un certain nombre de crises.

J'aimerais profiter de l'occasion pour insister sur la nécessité de faire passer des tests de consommation de drogue et d'alcool aux gens qui sont admis à l'hôpital et qui ont des hallucinations. Le mélange de ces substances explique parfois l'apparition d'hallucinations. J'en connais qui n'ont jamais voulu avouer qu'ils consommaient des drogues illégales. Ils se sont retrouvés avec un diagnostic de schizophrénie et ont été traités en conséquence. J'ai d'ailleurs constaté dans mes lectures que c'était là une préoccupation dans plusieurs centres de traitement ailleurs dans le monde.

Le comportement des psychiatres continue de m'inquiéter. J'ai demandé un jour à un psychiatre en chef quelle était la priorité de ces spécialistes dans l'exercice de leur profession. Il m'a répondu que leur objectif était de soulager les proches des personnes souffrant de troubles mentaux. Je trouve alarmant que de nombreux psychiatres fassent passer au second plan le bien-être des personnes qu'ils traitent. Je m'inquiète aussi de voir que les psychiatres peuvent transgresser les lois qui nous protègent sans que personne ne s'en soucie. Quand un chauffard passe sur le feu rouge, il écope d'une contravention. S'il recommence, on lui retire son permis de conduire. Comment se fait-il que les lois visant à protéger les personnes atteintes de troubles mentaux puissent être violées sans que les auteurs des infractions soient interpellés?

Dans un autre ordre d'idées, un étudiant m'a montré dernièrement ses notes de cours de psychopathologie, et j'ai pu constater que l'enseignement qu'il recevait comportait des notions simplistes et aberrantes. Pas étonnant que nous ayons par la suite tant de problèmes avec des professionnels dont la formation est si remplie de préjugés. Dans les manuels de psychiatrie, on parle d'un seul traitement, la médication. Est-ce qu'on aurait oublié la détresse à l'origine de nos troubles? Est-ce qu'on préfère nous réduire au silence en nous assommant avec de puissantes drogues? L'enseignement de la psychiatrie doit être modifié pour éviter que cette situation perdure.

J'ai dernièrement été invité par le Dr David Cohen, professeur au département de Service social de l'Université de Montréal, à donner une conférence dans le cadre d'un cours portant sur les troubles de santé mentale. J'avais devant moi les futurs thérapeutes de mes semblables, j'avais la responsabilité de les ouvrir à la réalité de notre condition. Avant de prendre la parole, j'ai été pris d'un trac incroyable mais j'ai réussi à le maîtriser. Mon exposé m'a valu des applaudissements, et j'en étais à la fois fier et surpris. Il est grand temps que les étudiants qui s'intéressent à la question commencent à rencontrer des personnes ayant des problèmes de santé mentale dans un contexte qui leur permet de dépasser leurs préjugés.

Il y a quelque temps, nous avons eu la visite d'une psychiatre dans notre groupe d'entraide. Quand nous lui avons demandé ses impressions, elle a répondu que cette rencontre lui avait permis de se faire une opinion bien différente de ses patients. Elle avait enfin eu l'occasion de les observer dans un milieu de vie naturel. Elle les voyait parler calmement, se comporter poliment, aborder de nombreux sujets de conversation qui n'avaient rien à voir avec la psychiatrie. Elle n'aurait jamais cru que ces personnes, qu'elle voyait en crise à l'hôpital, puissent être raisonnables à ce point.

Après tout, quand nous allons voir notre psychiatre, nous sommes là pour lui dire que nous allons mal. Nous le voyons entre cinq et quinze minutes, une ou deux fois par mois. Pendant ces rencontres, nous lui donnons un condensé de notre souffrance, ce qui ne veut pas dire que nous nous résumions à ce portrait. J'estime que les visites de groupes d'entraide devraient faire partie de la formation des gens qui nous soignent.

Je n'arrêterai jamais de dénoncer les abus, et je profite de toutes les occasions pour faire entendre la voix de ceux qui en ont été privés si longtemps. Heureusement, nous commençons à être écoutés par les instances décisionnelles du réseau de la santé et des services sociaux. En tant que président de l'AGIDD, j'ai été invité à plusieurs reprises à participer à diverses audiences publiques et commissions parlementaires portant sur les questions de santé mentale. Mes propos ainsi que ceux des représentants des autres groupes alternatifs y sont accueillis avec une ouverture grandissante. Nous avons l'intention, mes pareils et moi, d'utiliser ces moyens pour obtenir que les pratiques psychiatriques soient modifiées et que l'on nous traite avec tout le respect et toute la dignité auxquels nous avons droit.

J'ai notamment présenté, au nom de l'organisme Pleins Droits Lanaudière, un mémoire aux audiences publiques sur le virage ambulatoire. Ce mémoire contenait une liste de mauvais traitements que nous avions répertoriés. On y trouvait entre autres le cas d'une jeune femme qui avait été mise en isolement et qui avait tenté de se suicider en s'ouvrant les poignets avec les éclats de verre d'un néon qu'elle avait cassé. Le médecin qui l'avait soignée lui avait dit qu'il la recousait sans anesthésie pour lui donner une leçon: il lui avait donc fait dix points de suture à froid. Comment faire confiance à des gens qui nous traitent de la sorte?

Je me souviens aussi de notre intervention du 18 février 1997 devant la Commission parlementaire sur la réforme de la loi de protection des personnes atteintes de troubles mentaux. La veille, je m'étais préparé dans ma chambre d'hôtel de la vieille capitale à rencontrer le ministre de la Santé et des Services sociaux du Québec, Monsieur Jean Rochon, dans le cadre de cette commission. J'avais passé en revue toutes les lois portant sur les questions de santé mentale ainsi que la politique de santé mentale du Québec, j'avais lu et relu le mémoire que nous allions présenter en vue de lui faire part des pratiques psychiatriques en cours et de lui transmettre le point de vue des personnes soumises à ces pratiques. Le lendemain matin, à 10 heures, nous sommes entrés dans l'impressionnant Salon rouge de l'Assemblée nationale pour entendre le discours d'ouverture de notre ami Jean Rochon qui a déclaré, entre autres, que l'époque où les fous criaient au secours était bel et bien révolue. Je me suis promis de lui dire, quand mon tour viendrait d'intervenir, que les fous criaient encore au secours[1].

À 14 heures, Mario Bousquet, le coordonnateur de l'AGIDD, et moi-même, qui suis président de cet organisme, sommes allés dans la rue retrouver les 250 usagers et usagères venus en autobus protester contre la formulation du nouveau projet de loi. Nous avons marché tous ensemble sur la rue Grande Allée pour manifester notre désaccord. Puis, une fois à l'Assemblée nationale, une cinquantaine d'entre eux ont réussi à entrer pour écouter ce que le ministre avait à dire au sujet de cette réforme. À 15 heures, j'ai donné une entrevue à la télévision de Radio-Canada, puis, à 15 h 30, ce fut enfin à notre tour de nous exprimer devant la Commission. Je rêvais de cet instant depuis des années.

J'ai commencé en remerciant monsieur Rochon d'avoir soutenu, au moment de la Commission Rochon qu'il avait présidée et de la publication du Rapport Harnois, le principe

1. Cette phrase fait allusion au livre *Les fous crient au secours* écrit par Jean-Charles Pagé, un ex-psychiatrisé, et publié aux Éditions du Jour en 1960. Cet ouvrage, qui est à l'origine d'une prise de conscience sur les conditions moyenâgeuses d'internement des personnes souffrant de troubles mentaux qui régnaient alors, entraîna une importante réforme des pratiques psychiatriques au Québec dans les années qui suivirent. À la suite de la publication de ce livre, on se mit à privilégier l'administration de médicaments psychiatriques. Malgré ce soi-disant progrès, force est de constater que les psychiatrisés enfermés dans cette nouvelle prison chimique crient toujours au secours.

aujourd'hui encore bafoué de la primauté de la personne dans la prestation de soins en santé mentale. Je lui ai dit ensuite que nous, les psychiatrisés, ne voulions pas être traités de façon distincte dans notre belle société distincte. J'ai fait part à la Commission de mon expérience au sein du réseau de la santé, et deux autres usagers ont fait de même. Ce à quoi le ministre a répondu qu'il accordait une grande importance au respect des usagers et de leurs droits et qu'il en tiendrait compte dans son projet de loi.

Puis, quand j'ai dit à monsieur Rochon que 250 usagers et usagères manifestaient devant l'Assemblée nationale, j'ai vu ses yeux s'agrandir de surprise. Stupéfait lui aussi, un député s'est levé pour vérifier à la fenêtre. C'était la première fois qu'autant de psychiatrisés se mobilisaient pour se faire entendre. Les membres de la Commission ont également été étonnés d'apprendre que plus de 700 usagers et usagères avaient été consultés pour la préparation du mémoire que nous présentions.

Je suis convaincu que nous avons du poids quand nous nous regroupons. Il existe déjà au Québec plus d'une centaine d'organismes-ressources alternatifs en santé mentale. Ensemble, nous obtiendrons les changements que nous réclamons. Nous arriverons sûrement à influencer la formulation des lois nous concernant et aussi les pratiques psychiatriques. Je mets mon espoir dans cette solidarité et je sème cet espoir partout où je passe. Cela m'a inspiré un texte que je lis à l'occasion dans les groupes où je prends la parole.

La neige folle

Debout devant la fenêtre du deuxième étage
de la maison de campagne
où je loue une chambre,
je regarde tomber la neige.

On dirait qu'elle ne finira jamais de tomber,
elle qui a envahi le paysage
plus loin que mon champ de vision.

Je ne puis que m'émerveiller de constater
qu'un flocon de neige infiniment petit peut,
quand il s'allie avec d'autres,
envahir et recouvrir l'infiniment grand.

Dans le rang où j'habite,
on ne voit que des champs à perte de vue.
Cela m'a rappelé qu'aussi petits que nous soyons
devant de puissantes corporations,
nous pouvons aussi nous allier
et faire face à l'infiniment grand.

Quand on sait que cinq centimètres
de neige folle
peuvent immobiliser une ville tout entière,
imaginons ce que nous tous ensemble pouvons faire!

Je suis ému quand l'assistance, habituellement composée de personnes souffrant de troubles mentaux, accueille l'allusion à la neige folle avec un éclat de rire. Je me dis comme il est merveilleux que ces gens en soient arrivés au point où ils sont capables d'en rire.

Commentaires

Personne ne peut aborder la question de l'avenir de la psychiatrie sans prendre en considération la question des coûts. Justement, parlons-en. La psychiatrie actuelle au Québec coûte cher, très cher. Pour en donner un aperçu, mentionnons qu'au Québec le budget consacré aux services de santé mentale lors de l'exercice financier 1994-1995 s'élevait à 1,12 milliard de dollars. Au cours de cet exercice, 64 % de cet argent a été monopolisé par les hospitalisations. Pour leur part, les salaires des psychiatres ont coûté aux contribuables 187 millions de dollars et les médicaments psychiatriques 67,5 millions[2]. Bref, en plus de ses hospitalisations, qui sont généralement nombreuses et coûteuses, une personne souffrant de troubles mentaux consomme chaque année plusieurs milliers de dollars de médicaments psychiatriques et contribue à justifier le salaire de professionnels dont les honoraires sont élevés. À cela s'ajoutent les frais cachés liés aux dommages physiques et neurologiques permanents qu'occasionne parfois la prise de médicaments et qui nécessitent des hospitalisations sans rapport avec le trouble mental initial.

D'un point de vue purement comptable, nul besoin de grands calculs pour constater que la prise en charge de la santé mentale par des organismes communautaires représente une occasion de rendre d'efficaces services dans ce domaine à un coût nettement inférieur aux coûts engendrés par la psychiatrie actuelle. Selon les responsables de groupes d'entraide et de maisons d'hébergement alternatives, les taux de réhospitalisation des personnes qui fréquentent leurs services sont très bas malgré le fait que ces personnes aient auparavant été hospitalisées à répétition quand elles étaient traitées en psychiatrie traditionnelle. La diminution et même, souvent, l'interruption de la prise des médicaments rendues possibles par le cadre de vie offert par ces milieux qui offrent un soutien moral intensif représentent également une économie financière importante d'autant plus appréciable que les sujets de ces économies s'en portent mieux.

Les salaires des professionnels dans les organismes communautaires sont également loin d'approcher ceux des psychiatres. En admettant que les salaires des professionnels du réseau alternatif puissent être révisés à la hausse, ce qui serait tout à fait juste et équitable, les salaires actuels ne pouvant

2. Document de consultation produit par le ministère de la Santé et des Services sociaux du Québec en avril 1997 et intitulé *Orientations pour la transformation des services de santé mentale*.

pour le moment convenir qu'à des militants convaincus, il serait facile de trouver les montants nécessaires à l'expansion du réseau alternatif en réorientant une partie de l'argent actuellement investi dans le secteur traditionnel vers le secteur alternatif. Car, mis à part les coordonnateurs formés par l'expérience, le réseau alternatif n'a aucun besoin de personnel surqualifié pour fonctionner. Le psychiatre Loren Mosher, directeur de Soteria House, préférait engager des gens ordinaires manifestant un intérêt sincère à entrer en relation avec les personnes troublées. Il choisissait aussi des gens qui ne cherchaient pas à établir de distinction entre eux et les pensionnaires de sa maison d'hébergement. Mosher avait également réalisé que la formation professionnelle n'était pas particulièrement utile quand venait le temps de dispenser des soins avec compréhension et bienveillance. Il préférait donc former lui-même son personnel, ce qui lui permettait aussi d'offrir des services de qualité à un prix abordable. Même s'il gardait ses pensionnaires un peu plus longtemps que ne l'aurait fait l'hôpital, il rendait à la société des personnes jouissant d'une meilleure autonomie et plus solides sur le plan émotif.

Les responsables des groupes d'entraide ont également réalisé avec l'expérience qu'il était souvent préférable d'embaucher des personnes sans formation dans le domaine de la santé mentale, car cette formation véhicule des préjugés incompatibles avec la philosophie qu'ils préconisent. Il est à noter que les membres eux-mêmes des groupes d'entraide acquièrent souvent assez rapidement des compétences thérapeutiques certaines dont ils font bénéficier leurs pairs. Ils sont d'autant plus crédibles qu'ils connaissent ces problèmes de l'intérieur. Les membres qui font preuve d'efficacité à l'intérieur des groupes d'entraide peuvent même éventuellement devenir d'excellents candidats quand des postes salariés s'ouvrent au sein de ces organismes.

La présence de thérapeutes officiels au sein de ces groupes n'apparaît pas essentielle à un certain nombre d'entre eux, ce qui a aussi l'avantage de limiter les dépenses. D'autres, par contre, pourraient juger utile de s'adjoindre des thérapeutes dont le mode de fonctionnement serait revu à la lumière des besoins du groupe. Dans les groupes d'entraide, l'accent est mis sur l'initiative personnelle. Quand un membre vit des moments difficiles et qu'il sent le besoin d'avoir une entrevue particulière avec le responsable du groupe pour se décharger de ses angoisses et demander une aide spécifique, c'est lui qui prend l'initiative de demander cette rencontre. Cela fait même partie du traitement de lui laisser cette initiative. Il ne saurait donc être question dans un groupe d'entraide de travailler avec un thérapeute qui fonctionne avec des rendez-vous fixes ou obligatoires, à moins que ces rendez-vous n'aient été expressément demandés par les personnes qui s'y rendent. Les services sur demande semblent en effet plus appropriés à ce contexte. Par ailleurs, il serait nécessaire de trouver des thérapeutes suffisamment ouverts à la philosophie des traitements alternatifs pour s'intégrer harmonieusement aux processus de rétablissement. Mais, rappelons-le, la présence de thérapeutes ne semble pas constituer pour le moment une priorité.

Reste aussi à envisager la création de centres alternatifs de crise et de services de sevrage de médicaments. Là encore, comparativement aux options actuellement offertes, ces services peuvent générer, à court et à long terme, des économies importantes. Pour compléter le tableau, il faudrait aussi compter sur des logements supervisés à l'intention des personnes qui éprouvent encore des difficultés à vivre de façon tout à fait autonome.

Il faut dire que la politique québécoise de santé mentale adoptée en 1989 privilégie l'accès à des services en milieu de vie et la réintégration sociale des personnes ayant des problèmes de santé mentale. La mise sur pied et la consolidation de ce réseau alternatif respectent en tout point l'esprit de cette politique progressiste que le réseau institutionnel aurait avantage à prendre plus au sérieux. Nous accusons en effet un certain retard dans l'application de cette politique. Au Québec, il existe une volonté politique réelle de favoriser une importante prise en charge des questions de santé mentale par le milieu communautaire. À nous de faire pression pour que cette prise en charge se concrétise rapidement.

Il existe encore au Québec environ 3000 personnes internées depuis plus de dix ans dans des asiles psychiatriques, en plus de celles qui occupent temporairement l'un des 3000 lits réservés aux séjours de courte durée[3]. Il serait certainement possible de trouver une solution communautaire qui aiderait les personnes hospitalisées en permanence à renaître à la vie. En Allemagne, plusieurs psychiatres ont milité en faveur d'un traitement plus humain des personnes internées depuis longtemps. Ils ont fait en sorte que ces personnes puissent vivre dans de petits foyers, encadrées par des éducateurs. Une fois par semaine, les personnes ainsi logées et supervisées planifient ensemble les repas, les courses, les sorties et règlent leurs petits problèmes. Ces personnes qui voient à leur ménage, font leur cuisine, se rendent des services et peuvent souvent sortir à leur guise sont les mêmes personnes, hagardes, surmédicamentées et déformées par des contorsions faciales et corporelles, qui hantaient les asiles psychiatriques il n'y a pas si longtemps. Les psychiatres qui se sont donnés corps et âme à cette opération estiment qu'il est important de relire avec les usagers leurs dossiers médicaux et de faire un retour sur les émotions qui ont jalonné les différentes étapes de leur vie.

À Trieste, en Italie, le psychiatre Franco Basaglia, aujourd'hui décédé, estimait que la liberté était une thérapie en soi. Appuyé par de nombreuses associations, il s'est posé en défenseur des personnes internées. Il a obtenu que l'on donne à plusieurs de ces personnes les moyens de vivre dans de petits foyers communautaires et de jouir de la vie en société tout en recevant le soutien nécessaire au maintien de leur santé mentale. La Ville de Trieste est aujourd'hui reconnue pour le

3. Document de consultation produit par le ministère de la Santé et des Services sociaux du Québec en avril 1997 et intitulé *Orientations pour la transformation des services de santé mentale.*

traitement humanitaire réservé à ses citoyens qui ont des problèmes de santé mentale. La population de cette ville s'est habituée à les voir circuler librement, seuls ou accompagnés, et à accepter leur présence.

En Angleterre, dans la région du North East Thames, la responsabilité de personnes, en majorité des schizophrènes, ayant passé plus de vingt ans en moyenne à l'hôpital psychiatrique a été confiée à des organismes locaux. Ces organismes ont reçu les budgets requis pour assurer leur hébergement, leur supervision, leur réadaptation et leurs activités. Après cinq ans de liberté, l'état mental de ces personnes s'était amélioré de façon significative.

Il est évident que le traitement de ces individus qui ont perdu tout contact avec la société depuis des décennies et de certains autres cas sérieux demande un investissement humain et financier plus important. Mais ces individus ne constituent probablement qu'une faible minorité des personnes souffrant de troubles mentaux. Le coût des soins nécessaires pour leur permettre de vivre en société ne dépasserait en aucune façon les coûts de leur internement actuel, comme le montre l'expérience du North East Thames[4]. Il serait donc préférable de leur permettre de vivre dans un cadre de vie à la fois plus naturel et plus honorable. Osons espérer que le phénomène des personnes dépendantes à vie disparaîtra quand on aura donné la chance à tous d'être traités dès les premiers signes de trouble mental, avec le moins de médicaments possible et dans un contexte communautaire.

Comment cela se passe-t-il, sur le plan économique, pour les personnes qui fréquentent le réseau des groupes d'entraide?

---

4. M. Knapp, J. Beecham et al. «The TAPS Project 3: Predicting the Community Costs of Closing Psychiatric Hospitals», *British Journal of Psychiatry*, 1990, 157, p. 661-670. Article cité dans le document produit par le ministère de la Santé et des Services sociaux du Québec, intitulé *Orientations pour la transformation des services de santé mentale*.

En ce qui concerne Luc, sa situation financière ne pose plus de problèmes. Il est maintenant capable de travailler et, même s'il gagne aujourd'hui moins d'argent que lorsqu'il était livreur pour une chaîne d'alimentation, il s'estime satisfait. Il aimerait bien avoir une meilleure voiture, mais il se contente de celle qu'il a sans broncher. De son côté, Richard, dont nous avons parlé plus haut, qui allait d'hospitalisation en hospitalisation et qui autrement ne pouvait rester que terré chez lui, vit aujourd'hui de ses prestations d'aide sociale. Il n'est pas encore tout à fait prêt à affronter le monde régulier du travail. C'est en un sens une bonne chose qu'il soit soutenu pendant un certain temps encore par l'aide sociale. D'une part, un contact trop rapide avec la dure réalité du marché du travail risquerait de compromettre un équilibre mental qui a encore avantage à être consolidé. La plupart des milieux de travail ne font en effet pas encore preuve d'une maturité sociale suffisante pour respecter la fragilité des personnes qui ont eu des problèmes de santé mentale. D'autre part, bien que vivant des deniers publics, Richard rentabilise les sommes que la société investit en lui. Par son action bénévole, il en aide beaucoup d'autres, ce qui se traduit par des économies évidentes pour la société. Le chèque qu'il reçoit actuellement tous les mois du gouvernement est donc l'un des investissements les plus fructueux que puisse faire la société. Il serait équitable que l'on reconnaisse, pour lui et pour tant d'autres dans le même cas, ce droit à la marginalité productive. Peut-être un jour obtiendra-t-il le poste officiel d'intervenant en santé mentale qu'il mériterait d'avoir.

Une partie des gens qui sont dans la même situation que Richard finissent donc par retrouver le chemin de la vie productive tant sur le plan social que sur le plan économique, qu'ils reçoivent un salaire ou non. Quant aux autres, ils s'affranchissent de la nécessité de se faire hospitaliser à répétition et de prendre de coûteux médicaments, ce qui représente en soi une diminution des charges publiques.

Une des grandes difficultés des personnes qui souffrent de troubles mentaux tient dans le fait que l'on réclame souvent d'elles de retourner sur le marché du travail trop rapidement et dans des conditions qui ne sont pas propices à leur équilibre. Je me souviens d'un jeune homme doux venu occuper un poste de réceptionniste dans un grand bureau dans le cadre d'un programme de réinsertion au travail. Plein de bonne volonté, il s'était appliqué à son travail, mais il avait été, au bout de quelques semaines, submergé par un standard téléphonique qui ne dérougissait pas et par la coordination des messages complexes à transmettre à une multitude d'employés. Personne au bureau ne soupçonnait qu'il éprouvait des problèmes de santé mentale et qu'il prenait des médicaments qui ralentissaient ses réflexes. Aussi, c'est sans ménagement qu'on lui reprochait ses oublis, qui se multipliaient. Supportant mal la pression, il était entré en crise dans le hall de réception du bureau, et aucune manœuvre d'apaisement n'était venue à bout de ses brutales extravagances.

On a appelé sa famille, qui est venue le récupérer et l'a amené à l'hôpital. Pendant que l'on s'occupait de son admission, il a réussi à s'enfuir. Il est allé se jeter dans la rivière des Prairies et s'y est noyé. Piètre résultat pour une expérience de réinsertion au travail! En aucun temps l'employeur n'avait été mis au courant de sa condition. Par ailleurs, si l'employeur et les autres employés avaient été informés en ce sens, ce jeune homme aurait risqué d'être victime des préjugés habituels que nourrit la société à l'égard des schizophrènes, ce qui aurait probablement rendu sa vie au bureau tout aussi intenable. Pourtant, avec un peu de compréhension, il aurait pu être soutenu dans son travail, dont il s'acquittait somme toute assez bien étant donné les circonstances.

Tant que la société ne sera pas sensibilisée à la condition des personnes souffrant de troubles mentaux et qu'elle n'aura pas abandonné ses préjugés à leur égard, il restera hasardeux de les lancer sur le marché du travail dans des conditions qui risquent de leur nuire sérieusement. Tout comme les gais et les personnes atteintes du sida, les personnes ayant des problèmes de santé mentale doivent s'unir pour se faire connaître et accepter comme des êtres humains à part entière et dignes de respect. Correctement appuyées par des groupes d'entraide et par un milieu de travail compréhensif, beaucoup de ces personnes pourraient retrouver le chemin de la vie active.

Un petit nombre de personnes aux prises avec des troubles mentaux ont eu le courage de sensibiliser leur entourage et leur milieu de travail à leur condition et de leur expliquer les rouages de la gestion de leur trouble. À titre d'exemple, ce travailleur social maniacodépressif qui avait subi une très longue hospitalisation en psychiatrie. Au moment de son retour au travail, cet employé, du reste fort apprécié dans sa communauté, a mis son patron et ses collègues au courant. Dès qu'il présente des signes avant-coureurs d'excitation exagérée, ses collègues l'encouragent à rentrer chez lui pour s'accorder le temps de relaxation nécessaire à un retour à la normale de sa situation. Une fois chez lui, il s'applique à mettre en œuvre les moyens qu'il sait être bénéfiques à son équilibre mental. En évitant les crises de manie, il évite aussi la dépression qui succède généralement à la manie. Au plus, cela représente quelques jours de congé de maladie par année. Un faible coût à payer quand on sait que cette collaboration fructueuse permet à cet employé de ne plus faire de crises.

Il y a aussi l'exemple de cet éminent professeur-chercheur qui ne cache pas son passé psychiatrique. Quand il donne des conférences dans des congrès et des colloques, il n'hésite pas à dire, mi-sérieux, mi-rieur: «Je suis schizophrène, je vous prie de ne pas trop m'irriter pendant la période de questions, je pourrais mal réagir.»

En attendant que la société s'ouvre à cette réalité, il serait préférable d'épargner à un certain nombre de personnes ayant des troubles mentaux le traumatisme d'une exposition à un milieu de travail mal adapté à leur condition. Entre-temps, il y aurait peut-être lieu de mettre sur pied des structures de travail plus valorisantes que les ateliers supervisés actuels. Cela permettrait une transition en douceur vers le marché du travail dans un cadre créatif qui tienne compte des talents réels de ces personnes. L'idée de coopératives dont les employés peuvent devenir membres-propriétaires après y avoir travaillé un certain temps mériterait d'être explorée. Cette formule permet une répartition des tâches selon les capacités de chacun, y compris des capacités de gestion, en tenant compte qu'un bon pourcentage des personnes ayant des problèmes de santé mentale peut finir par retrouver ou acquérir des capacités de travail normales. À Trieste, dans une perspective de réinsertion sociale, une coopérative a été mise sur pied pour donner l'occasion à ceux qui le désirent de s'initier aux métiers de l'hôtellerie. Cette coopérative possède un restaurant et un hôtel. Certains apprennent à devenir serveurs, d'autres font leur apprentissage dans les cuisines, d'autres encore s'occupent de gestion. Leur travail leur permet d'accéder à la propriété de l'établissement et d'être fiers de la profession qu'ils exercent. À Cuttingsville, au Vermont, il existe aussi une coopérative rentable qui exploite une érablière.

Ces considérations à la fois humaines et économiques montrent l'impérieux besoin et la faisabilité financière de repenser en profondeur, ici et ailleurs, le système de traitement des personnes souffrant de troubles mentaux. Le budget public consacré à la santé mentale peut et doit être rentabilisé, et les sommes affectées à des traitements contre-productifs auraient grandement avantage à être dirigées vers des services dispensateurs de soins respectueux de la personne. Cela implique des changements d'attitude significatifs et des remaniements importants des budgets publics. Les associations de personnes ayant des problèmes de santé mentale deviendront sans aucun doute des interlocutrices de premier plan au moment de prendre des décisions concernant l'avenir de la santé mentale.

«Il me faudra travailler cet amour jour après jour
comme un magnifique jardin de fleurs.»

La vie avec un brin de folie

Quand je parle de qui j'étais, j'ai l'impression de parler d'un étranger. C'est fou comme ma perception de la vie a changé. Je me sens neuf comme un enfant qui vient de naître, avec un bagage énorme d'énergie mentale. Je suis si heureux d'être enfin sain de corps et d'esprit. Le matin quand je me lève, je trouve qu'il fait toujours beau, même lorsqu'il pleut. J'apprécie tout. Avant, je mangeais comme on met de l'essence dans une voiture. Aujourd'hui, les aliments me paraissent incroyablement bons. J'aime aussi voir les gens sourire, voir leurs yeux briller. J'aime rire, et je ris de si bon cœur avec ma grosse voix que les pensionnaires de la maison d'hébergement où je travaille m'ont formellement interdit de rire avant 10 heures le matin pour ne pas déranger ceux qui dorment.

J'ai l'impression d'être sorti grandi de mes souffrances. Mon très long voyage au pays de la folie m'a permis d'accéder à la paix intérieure. Je remercie la vie d'avoir connu cette terrible souffrance qui m'a aidé à comprendre bien des choses.

Avant, ma souffrance était telle que je ne savais pas si l'enfer existait. Partout où j'étais, j'étais en enfer. Aujourd'hui, je ne sais pas si le paradis existe, mais je m'y trouve partout où je suis. Il m'est encore parfois difficile de faire face au bonheur. Quand on a toute sa vie eu à lutter contre le malheur, on a par moments de la difficulté à accepter que l'on puisse mériter tant de bonheur. J'ai trouvé en Johanne une nouvelle compagne compréhensive et affectueuse avec qui je compte faire ma vie. J'ai des enfants, y compris la fille de ma compagne, qui m'aiment et me comblent. J'ai des amis exceptionnels. C'est comme si, au fond, j'avais peur que tout ce monde se trompe de m'aimer et me donne de l'amour que je ne mérite pas. Mon inquiétude se traduit par des accès occasionnels de dépression que je dois apprendre à surmonter. Dans ces moments-là, Johanne me taquine en me disant: «J'irai te filmer la prochaine fois que tu donneras une conférence. Quand tu douteras de toi, je te montrerai de quoi tu es capable.»

Ma transformation a permis que j'établisse avec ma famille des relations sur une nouvelle base. J'ai renoué avec ma mère, une femme que je respecte et que j'admire, et j'ai d'excellentes relations avec mon frère et mes sœurs. Nos blessures se cicatrisent. Ma famille accepte aujourd'hui que j'aie un problème de santé mentale, et cette acceptation nous permet enfin de communiquer et d'être sur la même longueur d'onde. Nos dialogues sont maintenant productifs, ils nous aident à progresser dans notre relation.

Maintenant, quand je donne du temps, de l'amour et de l'argent, je le fais sans rien attendre en retour, même dans ma relation de couple. Avoir des attentes par rapport aux autres est source de souffrance si l'autre ne donne rien en retour. En n'attendant rien, ce qui vient arrive comme un cadeau: la vie se charge de remercier par d'autres voies ceux qui donnent. Les personnes que j'ai aidées ne sont pas nécessairement celles qui m'ont aidé dans la vie. J'ai aussi dû apprendre à recevoir même quand je ne suis pas en mesure de rendre la pareille à la personne qui me donne, quitte à donner ce que j'ai à offrir à d'autres. Une chose est sûre, plus on donne, plus on reçoit et mieux on se porte.

Suis-je normal maintenant que j'ai un équilibre mental stable, une vie qui me satisfait, un travail valorisant? C'est difficile à dire. Je suis toujours le même Luc, avec le même passé et le même vécu, sauf que je ne fais plus de crises depuis que j'ai rencontré des personnes qui m'ont permis de vivre ma transformation. En un sens, j'aime dire que j'ai toujours un problème de santé mentale même si, par ailleurs, j'estime que je mérite un certificat de normalité. De cette façon, je reste sur mes gardes et je prends soin de moi de manière à maintenir cet indispensable équilibre mental.

Le fait de continuer à me considérer comme un usager sert aussi à entretenir ma révolte et à me donner la force et l'énergie nécessaires pour défendre mes semblables et pour mener ces essoufflants combats toujours à recommencer. Quand il m'arrive encore de m'emporter et de hausser la voix — ce que je fais rarement —, j'ai le mauvais réflexe de mettre ce comportement sur le compte de mon problème mental. Pourtant, toute personne saine de corps et d'esprit jugerait normal de s'emporter à l'occasion. Il faudra que je cesse un jour de penser que je ne suis pas normal et de me considérer comme un usager des services en santé mentale.

J'apprécie la vie normale et ses satisfactions, mais je ne renonce pas à certains brins de folie qui me sont encore très utiles. Un jour, je devais prendre un petit avion pour me rendre à Baie-Comeau afin de rencontrer les membres de différents organismes d'entraide en santé mentale de cette région, dont le Groupe Nord-Côtier. J'avais peur de m'envoler dans cet appareil. Au moment du décollage, mon regard est devenu fixe et je me suis réfugié dans mon bon vieux monde où je me suis transformé en un petit garçon intrépide prenant plaisir à piloter son vaisseau spatial. Je me suis follement amusé. Mon compagnon de voyage, qui me connaissait bien, s'était rendu compte que je m'étais évadé mentalement. Mais il a réalisé que j'étais serein et que j'avais avantage à rester dans mon monde. Maintenant, quand j'entre dans de tels états, je suis capable d'entendre la voix de ceux qui m'entourent, alors que ce n'était pas le cas autrefois. En me parlant, mes amis peuvent aujourd'hui me ramener sur terre quand ils voient que je m'absente et que je devrais revenir parmi eux.

J'ai aussi une grande capacité de visualisation. Je m'en servais auparavant pour anticiper des situations qui me tourmentaient. Aujourd'hui, je me rends compte que ces qualités pourraient m'être utiles si j'avais à mettre en scène un texte. Quand on souffre, nos talents sont mal utilisés et se retournent contre nous. J'ai aussi gardé contact avec celles de mes voix qui sont devenues mes muses. J'ai écrit quantité de poèmes qui m'ont été dictés par des voix qui me parlent de l'intérieur. Je ne suis sûrement pas le seul à tirer avantage de telles voix: de nombreux artistes et créateurs disent s'en remettre eux aussi à leurs muses. J'ai une amie que l'on dit schizophrène et qui tient à garder ses voix parce que celles-ci lui disent de belles choses, ce qui ne l'empêche pas de vivre à l'occasion de douloureux épisodes psychotiques. Ses psychiatres veulent qu'elle prenne des médicaments pour cesser d'entendre ces voix qui lui sont d'un grand secours émotif. Elle s'y oppose, et je ne peux m'empêcher de lui donner raison.

Un jour, j'ai fait la connaissance de Jean-Marie Savage, l'auteur des dessins illustrant les têtes de chapitre de ce livre. Cet artiste m'a demandé d'écrire un poème pour l'exposition organisée par le Musée d'art de Joliette, exposition qu'il coordonnait. Celle-ci avait pour thème la violence faite aux femmes. Ce sujet me touche particulièrement parce que j'ai probablement été violent avec la mère de mes enfants pendant mes crises psychotiques. Je trouvais donc important de donner mon soutien à cette cause. Il y avait longtemps que je voulais dire, au nom de toutes les personnes qui vivent un problème de santé mentale, que nous compatissons avec les femmes et que nous souhaitons leur apporter notre soutien pour mettre fin à la violence physique et psychologique et à l'oppression financière dont elles sont souvent victimes.

Je suis entré chez moi et, sans attendre, j'ai laissé mes voix me dicter un texte que j'ai soumis au musée. Il a été accepté et exposé. J'ai été très surpris, en lisant le communiqué émis par le musée, de constater que mon poème avait constitué la note d'espoir de cette exposition. Le jour de l'ouverture, j'ai aussi été ému de voir combien mon jeune fils était fier de moi. J'ai, par la suite, fait don de ce poème à un organisme voué à la défense des femmes battues et j'ai rencontré les responsables de cet organisme. Qui aurait cru qu'un jour nous aurions trouvé important de nous retrouver occasionnellement en groupe, ces militantes et moi, au restaurant pour une discussion amicale? Voici le poème à l'origine de cette amitié avec ces femmes:

Ces yeux inconscients

Ces yeux inconscients qui terrifiaient ma mère,
ces yeux qui horrifiaient mes sœurs,
ces yeux inconscients sont devenus mon héritage.

Ces yeux ont perpétué un regard violent
envers la mère de mes enfants.
Ces yeux ont un jour croisé les yeux de ma fille
horrifiés par mon regard.
Ces yeux inconscients sont devenus
par le regard de ses yeux terrifiés
conscients de la violence qu'ils faisaient aux femmes.

Ces yeux maintenant conscients
veulent mettre fin à cet héritage.
Ces yeux qui sanglotent vous demandent par leur bouche
de dire à vos oreilles
de ne jamais oublier d'avoir un regard conscient
sur la violence faite aux femmes.

Ces yeux maintenant remplis d'amour
vont avoir une autre vision
de l'héritage qu'ils vont transmettre.

Mes enfants sont mon bonheur et mon espoir, et je compte leur laisser un héritage émotif solide. Je ne ménagerai aucun effort pour m'assurer qu'ils soient sur la bonne voie dans la vie et qu'ils ne glissent jamais dans le gouffre des problèmes de santé mentale. Je veille à leur bien-être psychologique comme le père attentionné que je me dois d'être. Avant, j'essayais avant tout d'être leur ami. Maintenant, je réalise à quel point mon père m'a manqué et j'ai décidé de ne pas me contenter d'être seulement un ami. Des amis, ils en auront toute leur vie. Mon rôle en tant que père est autrement plus important. Comme père, j'accueille leurs joies et leurs peines, je les conseille, je les aide à croître, à se dépasser. Je rétablis avec mes enfants le pont que la mort avait coupé entre moi et mon père. Ce désir de continuité m'a inspiré ces lignes:

Mois de mai

Mois de mai qui a vu mon père mourir
Je m'ouvre à toi pour revivre

Mois de mai qui fait verdir l'hiver
Je t'offre mes souffrances pour qu'elles soient éphémères

Mois de mai qui aide les bourgeons à s'éclater
Aide-moi pour que ma joie de vivre devienne réalité

Mois de mai qui nourrit la terre et ses semences
Nourris mon âme afin que j'accède à un bonheur immense

Mois de mai qui nous donne tant de chaleur
Avec l'aide de ton soleil je vais sécher mes pleurs

Mois de mai qui voit les yeux des enfants rayonner
Je veux que tu voies mes blessures se cicatriser

Mois de mai qui a vu mon père mourir
Je serai avec mes enfants pour les mois de mai à venir.

Je mettrai autant d'application à rendre heureuse celle qui partage maintenant ma vie. Je n'en crois pas ma chance d'avoir trouvé en Johanne une compagne si merveilleuse, je lui suis reconnaissant d'être venue se révéler à moi. Elle m'avait vu pour la première fois le jour du lancement du *Guide critique des médicaments de l'âme*. À cette occasion, j'avais pris la parole en public et je n'aurais pas pu la remarquer dans la foule, elle qui m'avait déjà ciblé. Je me suis retrouvé en sa présence plusieurs mois plus tard. Elle faisait partie du comité de sélection d'embauche pour le poste d'intervenant à la maison d'hébergement du Vaisseau d'Or, poste pour lequel j'avais posé ma candidature. Cette femme rayonnait du plus profond de son âme et je l'ai tout de suite aimée. Elle a ensuite accepté ma timide invitation à assister à une conférence que je donnais. Dix mois plus tard, nous étions fiancés.

Depuis que nous vivons ensemble, Johanne m'a grandement aidé à remonter dans mon estime et à jouir de chaque jour en appréciant les choses les plus importantes de la vie, celles qui ne sont visibles que par les yeux du cœur. J'ai découvert avec elle le véritable amour et la vraie tendresse qui émanent de ses yeux. Cet amour me donne sans cesse la force de surmonter les épreuves de la vie, et les attentions qu'elle a pour moi sont la source d'un grand bonheur. Nous avons appris à communiquer tant entre nous qu'avec nos enfants respectifs dans un esprit de respect mutuel. Nous faisons l'effort de nous dire ce qui nous préoccupe, et cette communication honnête nous rapproche. J'éprouve une grande joie de vivre avec cette femme et avec sa fille, noyau familial auquel s'ajoute, une fin de semaine sur deux, mes propres enfants. Pour y arriver, nous avons dû accepter nos différences respectives et le mode de vie de chacun.

Pour vivre avec cette femme qui est bien dans sa peau, je me dois de veiller à être bien dans ma peau, de croire en moi et en mes capacités. Il me faudra travailler cet amour jour après jour comme un magnifique jardin de fleurs. Mais jamais je ne tiendrai cet amour pour acquis, et jamais je ne ferai l'erreur de croire que cette femme que j'aime m'appartient; je respecte trop son autonomie. Chaque personne est unique et précieuse: ne cherchez donc nulle part une femme comme Johanne, il n'y en a pas deux comme elle.

«Quel rêve inaccessible» diront sûrement certains en tournant la dernière page de mon récit. Inaccessible, pas du tout. Les outils pour se sortir de l'ornière des troubles mentaux sont plus que jamais à la disposition de tous. Le réseau alternatif en santé mentale se consolide de jour en jour pour apporter le soutien nécessaire à ceux que tente l'aventure du rétablissement. Le courage et l'investissement personnel, qui n'excluent pas les découragements passagers, doivent faire le reste pour motiver ceux qui désirent se servir de ces outils. Chacun, au contact des autres, aura le loisir de trouver peu à peu la manière de s'en sortir qui convient à sa personnalité et à ses aspirations. Il y a mille et une façons de se rétablir. Nous, qui faisons partie des groupes d'entraide, serons toujours là pour aider ceux qui le veulent à se rendre là où la satisfaction de vivre les attend.

LUC VIGNEAULT

Qui vit et prospère avec
un problème de santé mentale

La schizophrénie, une maladie?

Il est entendu que les psychoses dont nous parlons dans ce livre sont celles qui sont associées à divers troubles mentaux, dont la schizophrénie. Il existe en effet diverses formes de psychoses pouvant être confondues avec les précédentes, et il est important d'en être conscient. Certaines formes de psychoses peuvent en effet être occasionnées par la prise de calmants, de somnifères ou d'antidépresseurs, ou par la cessation brusque de la prise de ces médicaments. Cette forme de psychose est en quelque sorte un «bad trip» en réaction à des médicaments ayant pour but de modifier l'humeur, ces médicaments se comportant comme des drogues et pouvant provoquer eux aussi, chez certaines personnes, des délires et des hallucinations. Divers états psychotiques peuvent également être occasionnés par des maladies physiques telles que les méningites, certains troubles endocriniens ou métaboliques et certaines maladies hépatiques, pulmonaires ou cardiovasculaires. Dans de tels cas, le traitement de ces conditions ou de ces maladies est le seul garant du rétablissement psychique de la personne touchée, et il ne saurait être question de les traiter comme des cas psychiatriques. Diverses lésions, comme les traumatismes crâniens ou la présence d'une masse intracrânienne, peuvent également provoquer des troubles psychotiques. Enfin, plusieurs maladies dégénératives, comme les maladies d'Alzheimer et de Parkinson ainsi que la chorée de Huntington, produisent des démences qui n'ont rien à voir avec les troubles désignés sous le nom de maladies mentales. Toute personne qui souffre de troubles psychotiques devrait donc demander à passer un examen physique complet chez un médecin indépendant de la psychiatrie afin de déterminer si leurs états psychotiques sont dus ou non à de telles causes. On estime que 15 % des personnes traitées en psychiatrie souffrent en réalité d'un problème médical non traité.

Reste à se demander si la schizophrénie et une kyrielle d'autres troubles mentaux sont oui ou non des maladies physiques. Pour y voir un peu plus clair, nous passerons en revue les principales recherches sur lesquelles les psychiatres se fondent pour affirmer que les troubles mentaux constituent une maladie. Comme vous pourrez le constater, ces informations auxquelles le grand public a difficilement accès ont de quoi ébranler certains mythes bien entretenus.

Les neuroleptiques ont été utilisés pour la première fois en 1951 par Henri Laborit, qui cherchait un composé dans l'espoir de réduire les chutes de tension pendant les interventions chirurgicales. Le composé n'eut pas les résultats escomptés, mais Laborit remarqua que ses patients faisaient preuve d'un grand calme et qu'ils cessaient de s'inquiéter des procédures opératoires. Des chimistes s'intéressèrent à cette découverte et essayèrent par la suite divers composés similaires sur des schizophrènes. Tranquillisés par ces produits, ces derniers cessèrent de présenter les symptômes extérieurs caractéristiques de la schizophrénie. Puisqu'un médicament réussissait à «guérir» la schizophrénie, c'était donc que la schizophrénie était une «maladie».

Les psychiatres tentèrent de prouver par de nombreuses recherches qu'il s'agissait non seulement d'une «maladie», mais aussi d'une tare génétiquement transmissible. Ce sont ces recherches qui sont citées encore de nos jours à l'appui de cette thèse, malgré leur manque de rigueur évident. Colin Ross[1] et Alvin

---

1. Colin Ross est directeur de l'unité des troubles dissociatifs du Charter Hospital of Dallas et professeur associé au Southwest Medical Center of Dallas.

Pam[2] n'y vont pas de main morte lorsqu'ils dénoncent les erreurs de méthodologie et d'interprétation que présentent ces recherches dans leur livre *Pseudoscience in Biological Psychiatry*[3]. Ils estiment que les études sur lesquelles les psychiatres fondent leurs affirmations ont des standards de recherche qui ne seraient tolérés nulle part ailleurs dans le monde scientifique.

Les psychiatres affirment, entre autres, que le cerveau des schizophrènes présente des anomalies. Sous le régime nazi, les médecins et psychiatres militaires ne se sont pas privés pour envoyer à la mort des milliers de schizophrènes, opération qui leur a donné le loisir de disséquer un grand nombre de cerveaux sans qu'ils puissent détecter aucune anomalie susceptible d'expliquer la présence du trouble mental. De nos jours, on présente dans beaucoup de manuels de psychiatrie des images de scanner montrant que le cerveau des personnes dites schizophrènes est différent des cerveaux normaux: on constaterait en effet chez les premiers un élargissement des ventricules et une diminution du volume des lobes. Ce qu'on ne dit pas, c'est que les sujets dont nous observons le cerveau ont reçu des électrochocs ou des neuroleptiques pendant de nombreuses années. Les différences observées sont donc plus probablement attribuables à l'administration de ces traitements hautement susceptibles d'endommager le cerveau qu'à une prétendue anomalie physique initiale.

L'hypothèse de l'hyperactivité de la dopamine et d'autres messagers de l'influx nerveux du cerveau, comme la sérotonine, est également considérée comme centrale dans la compréhension de la schizophrénie. Cette hypothèse a été formulée quand on a constaté que les neuroleptiques bloquaient la transmission de certains messagers de l'influx nerveux entre diverses parties

2. Alvin Pam est directeur de la formation des internes au Bronx Psychiatric Center et professeur au Albert Einstein College of Medecine de New York.
3. Colin A. Ross et Alvin Pam. *Pseudoscience in Biological Psychiatry*, New York, John Wiley & Sons, 1995.

du cerveau, et que ce blocage calmait les sujets soumis à de tels traitements. On en a conclu que la schizophrénie était attribuable à une hyperactivité de ces messagers de l'influx nerveux. Mais la corrélation entre une activité physiologique et un état mental ne prouve pas une relation de cause à effet. Elle ne prouve pas non plus que l'activité physiologique ait précédé l'état mental. On pourrait tout aussi bien faire l'hypothèse que l'intensification des états émotifs peut donner lieu à une augmentation de la transmission de l'influx nerveux. Dans cette perspective, on pourrait considérer normal que des personnes vivant des états émotifs extrêmes aient une forte transmission de l'influx nerveux et que, pour diminuer cette activité, il suffirait de diminuer le stress qui occasionne ces états émotifs.

Pendant un certain temps, on a eu recours à la lobotomie, une intervention qui consiste à sectionner les connexions menant aux lobes frontaux, avec pour résultat l'apathie et le manque d'émotion caractéristiques des lobotomisés. Aujourd'hui, les neuroleptiques jouent le rôle des lobotomies d'antan. On objecte que cette «lobotomie chimique» a l'avantage d'être réversible. Mais c'est faire peu de cas des dommages cérébraux irréversibles que risquent de produire les neuroleptiques quand ils sont administrés pendant plus de six mois. Notons aussi l'actuel retour à la mode de lobotomies désormais plus précises et mieux localisées que les précédentes, ce qui ne justifie toujours pas leur raison d'être.

La transmission génétique de la schizophrénie est une autre hypothèse qui a donné lieu à de nombreuses recherches. Il est vrai que la schizophrénie court dans les familles. C'est pourquoi plusieurs chercheurs ont tenté de prouver l'héritabilité de la schizophrénie. Pour essayer d'étayer ces affirmations, les psychiatres ont eu recours à des études de familles, à des comparaisons entre jumeaux, puis à des études d'adoption. Quand on examine de près les études citées, on ne peut que s'étonner de leur manque de rigueur.

Prenons tout d'abord les études de familles. Toute personne familière avec le domaine de la génétique se rendra compte immédiatement que les chiffres cités dans ces études ne correspondent en rien au modèle mendélien de transmission génétique et que, par conséquent, ils ne peuvent être utilisés pour prouver l'héritabilité de la schizophrénie. De plus, les familles observées, qui comportent un grand nombre de schizophrènes, semblent baigner dans des traditions d'abus physiques et psychologiques graves. Tenir pour acquis qu'un comportement est héréditaire parce que plusieurs membres d'une famille présentent ce comportement revient à nier que ces derniers puissent également avoir en commun une certaine façon d'envisager les relations humaines et que l'environnement familial puisse avoir des répercussions sur l'état mental de ses membres.

Pour ce qui est des études de jumeaux, elles ont pour but de démontrer que des jumeaux identiques, qui partagent un même patrimoine génétique, sont susceptibles de présenter le même profil d'état mental, c'est-à-dire que si le premier jumeau présente des signes de schizophrénie, le risque est élevé que le deuxième soit également schizophrène. C'est oublier que les jumeaux identiques sont, à peu de choses près, élevés de façon identique. Soumis aux mêmes stress environnementaux, ils sont susceptibles de réagir de façon similaire à des conditions de vie similaires. Si les deux jumeaux présentent le même profil d'état mental, est-ce parce qu'ils possèdent les mêmes gènes ou parce qu'ils sont soumis aux mêmes situations? Il est bien malaisé de répondre à cette question. C'est pourquoi les études de jumeaux identiques ne peuvent être utilisées pour appuyer la thèse de la transmissibilité génétique des troubles mentaux.

Pour contourner l'écueil de l'environnement identique, les chercheurs ont alors tenté de s'appuyer sur des cas de jumeaux identiques élevés par des familles distinctes et montrant des signes de schizophrénie. Les couples de jumeaux retenus dans ces études présentent une certaine concordance de profils de santé mentale. Cependant, les chercheurs qui ont mené ces études omettent de mentionner que la majorité des jumeaux identiques étudiés ont vécu plusieurs années ensemble avant d'être séparés. En 1982, Gottesman et Shields[4], qui ont passé en revue toutes les études existantes à ce sujet dans le monde entier, n'ont pu dénombrer que douze de ces couples de jumeaux ayant été séparés en bas âge. De ces douze couples, cinq n'avaient pas le même profil d'état mental, c'est-à-dire que, si l'un des jumeaux présentait des signes de schizophrénie, l'autre n'en présentait pas. Restent sept couples de jumeaux identiques, dont trois couples d'enfants ayant été élevés séparément, certes, mais par des oncles, des tantes, le père ou la grand-mère, ce qui ne les éloigne guère de l'environnement familial. Les cas retenus se résument donc à quatre, mais personne ne s'entend sur le diagnostic de deux d'entre eux. En analyse finale, on peut affirmer avec suffisamment de certitude que, dans le monde, seulement deux couples de jumeaux identiques élevés séparément seraient devenus schizophrènes. Voilà qui est maigre et qui ne peut en aucun cas suffire à prouver le caractère héréditaire de la schizophrénie! Pourtant, ces études sont encore citées de nos jours et présentées comme étant concluantes.

Étant donné le peu d'utilité des études de familles et de jumeaux, les chercheurs se sont ensuite tournés vers les études d'adoption. Les études les plus souvent citées en faveur de la thèse de la transmission génétique de la schizophrénie sont celles qui furent entreprises au Danemark sous la direction des chercheurs américains Kety, Rosenthal et Wender[5]. Pourtant, si l'on accède aux données originales de ces études, données que les auteurs ne cherchent pas vraiment à diffuser, on constate qu'il n'y avait pas de taux anormal de schizophrénie dans la famille biologique immédiate des enfants adoptés devenus schizophrènes alors qu'ils vivaient dans leur famille d'adoption.

4. Gottesman, I. et Shields, J. *Schizophrenia and Genetics: A Twin Study Vantage Point*. New York, Academic Press, 1972; Gottesman, I. et Shields, J. *Schizophrenia — the Epigenetic Puzzle*. Cambridge, England, Cambridge University Press, 1982.

5. Constatation du Dr Peter Breggin rapportée dans *Toxic Psychiatry*, ouvrage cité, au sujet des études de Kety et ses collègues publiée dans *Genetic Research in Psychiatry*, Baltimore, John Hopkins University Press.

Seuls les demi-frères et demi-sœurs biologiques du côté paternel de ces schizophrènes adoptés auraient présenté un taux supérieur de soi-disant schizophrénie. Est-ce à dire que nous sommes ici en présence d'un gène miracle et bizarroïde capable de se transmettre aux demi-frères et demi-sœurs du côté paternel en évitant les frères et sœurs immédiats de même que les demi-frères et demi-sœurs du côté maternel? Ce sont pourtant des résultats de ce genre qu'on utilise pour tenter de prouver le caractère héréditaire de la schizophrénie. On ne s'étonnera donc pas que ces études aient fait l'objet de nombreuses critiques qui peuvent être résumées par les propos formulés en 1990 par le psychiatre Theodore Lidz de l'Université de Yale dans la revue *Psychiatric News*: «L'interprétation des données [de cette étude] par les chercheurs est indéfendable; elle a été soumise à des distorsions dans le but de la faire correspondre à leur hypothèse.»

On a aussi émis l'hypothèse que ce serait plutôt la vulnérabilité à la schizophrénie qui serait héréditaire, c'est-à-dire une fragilité psychique favorable à l'implantation de la schizophrénie. On peut se demander si différents traits de caractère, qui eux aussi courent dans les familles, peuvent expliquer cette fameuse vulnérabilité psychique. Par exemple, la sensibilité trop grande d'un individu peut, dans un contexte difficile, constituer un handicap et l'amener à réagir avec une intensité démesurée à des situations adverses. Mieux employée, cette même sensibilité ne pourrait-elle pas, dans certaines circonstances, constituer un atout susceptible d'être canalisé de façon productive? Les capacités d'imagination et le caractère passionné d'une personne affrontant une situation qu'elle juge éprouvante peuvent aussi la desservir et l'amener à amplifier de façon disproportionnée une émotion déjà intense et à ne plus trouver que des symboles peu compréhensibles pour autrui pour exprimer ce débordement d'intensité émotive. Qui sait, ces mêmes capacités pourraient se transformer en un talent appréciable si elles étaient dirigées positivement. L'intransigeance et l'entêtement sont peut-être aussi des traits de caractère qui rendent les gens vulnérables à l'adversité. Ces mêmes caractéristiques, exploitées correctement, déboucheraient peut-être sur un goût du vrai, du juste et du beau, et sur la ténacité à défendre ces valeurs.

Un trait de caractère constitue-t-il en soi un facteur de vulnérabilité? Et ce trait de caractère comporterait-il deux facettes, une positive et une négative? Il s'agirait peut-être alors, pour la personne qui souffre, de se rendre compte qu'elle a le potentiel d'actionner le commutateur pour convertir un trait de caractère néfaste en un trait de caractère utile. Tout compte fait, les traits de caractère porteurs de vulnérabilité ne condamnent peut-être pas l'individu à une fatalité inéluctable. En vue de toutes ces interrogations, est-il sensé de prétendre que la vulnérabilité psychologique est une tare génétique à laquelle il est impossible d'échapper? Voilà beaucoup de questions qui doivent faire hésiter avant de considérer cette vulnérabilité comme une maladie.

Pour compléter le tableau des efforts déployés en vue de prouver que la schizophrénie est une maladie, on annonçait à la une des journaux, en 1988, que l'on avait découvert les marqueurs génétiques de la schizophrénie. Mais a-t-on parlé dans ces journaux du manque de rigueur des études qui ont mené à ces conclusions et du fait que ces études, ainsi que les autres qui ont suivi, n'ont jamais pu être reproduites? Nous n'entrerons pas plus dans le détail de ces études de peur de lasser nos lecteurs. Que ceux qui désirent en savoir davantage consultent les livres qui jettent un regard critique sur ces questions et dont les titres sont donnés en référence[6].

On peut se demander par ailleurs pourquoi la recherche en psychiatrie ne répond pas aux mêmes standards scientifiques que la recherche dans les autres domaines de la science. Tout d'abord, il est utile de savoir qui tient les cordons de la bourse

---

6. Colin A. Ross et Alvin Pam. *Pseudoscience in Biological Psychiatry*, New York, John Wiley et Sons, 1995; Lewontin, R. C., Steven Rose et Leon Kamin. *Not in Our Genes*, New York, Pantheon, 1984; Peter Breggin, M. D. *Toxic Psychiatry*, New York, St. Martin's Press, 1991.

qui sert à subventionner ces recherches. Les fonds de recherche en psychiatrie proviennent de deux sources principales. Ils proviennent en premier lieu d'associations de parents de personnes souffrant de troubles mentaux. Aux États-Unis, entre autres, le NAMI (National Alliance for the Mentally Ill) est un bailleur de fonds incontournable dans le domaine. Or, ce que cherchent à prouver les parents qui appartiennent à cette association, c'est qu'ils n'ont joué aucun rôle dans l'apparition des troubles mentaux dont souffrent leurs enfants. Pour eux, la schizophrénie et tous les autres troubles mentaux doivent nécessairement être biologiques. Le coupable, c'est le corps de la personne atteinte et lui seul. On comprendra dès lors que seules les études allant dans le sens de ces attentes sont subventionnées par cet organisme.

Le deuxième bailleur de fonds est constitué des compagnies pharmaceutiques qui, pour des raisons commerciales évidentes, ont tout intérêt à prouver que les troubles mentaux découlent d'une maladie qui doit, il va de soi, être traitée par les médicaments qu'elles fabriquent. Ce sont aussi les compagnies pharmaceutiques qui paient les cours de formation continue des psychiatres. On peut s'attendre, dans de telles circonstances, à ce que ces cours reflètent les prises de position des compagnies pharmaceutiques. Ce sont enfin ces mêmes compagnies qui commanditent les congrès dans le domaine et qui s'acquittent des frais de représentation de nombreux psychiatres. Critiquer la psychiatrie biomédicale suppose que l'on renonce à ces privilèges et aux convictions acquises dans des contextes dominés par l'idéologie pharmaceutique.

Il est à noter que, contrairement à leurs collègues universitaires d'autres sphères scientifiques, les psychiatres, sauf de rares exceptions, ne détiennent pas de doctorat et ont donc généralement peu de formation dans le domaine de la recherche. Ils sont donc plus souvent qu'à leur tour mal outillés pour effectuer des recherches et pour juger celles de leurs collègues d'un œil critique. Ce sont aussi les psychiatres qui siègent aux comités d'acceptation d'articles traitant de questions de santé mentale devant paraître dans les revues psychiatriques et médicales. Ici encore, seuls les articles en faveur d'une conception médicale des troubles mentaux sont susceptibles d'être acceptés, laissant croire que ce point de vue est le seul qui soit digne d'être pris en considération. Reste à souhaiter que la dénonciation de ces pratiques entraînera éventuellement leur modification et l'amélioration des standards de recherche dans ce domaine.

De tout ce qui précède, il est difficile de conclure que la schizophrénie est une maladie. C'est tout au plus une hypothèse. Émettre l'hypothèse que la schizophrénie n'est pas une maladie demeure, dans ces circonstances, une approche tout aussi valable. Après avoir passé plusieurs décennies à privilégier l'hypothèse de la maladie mentale, il serait sûrement temps de s'intéresser à l'hypothèse alternative qui met, pour sa part, l'accent sur la santé mentale et sur la façon de la conquérir.

Adresses utiles

Regroupement des ressources alternatives en santé mentale du Québec (RRASMQ)

4837, rue Boyer
Bureau 240
Montréal H2J 3E6
Téléphone: (514) 523-7919

Association des groupes d'intervention en défense des droits en santé mentale du Québec (AGIDD-SMQ)

4837, rue Boyer
Bureau 210
Montréal H2J 3E6
Téléphone: (514) 523-3443

Bibliographie

Lafontaine, Suzanne, *Quelques fenêtres percent le mur... plus de dix années d'alternatives en santé mentale, portraits et réflexions,* Regroupement des ressources alternatives en santé mentale du Québec, 1994.

La folie comme de raison: histoires vraies, Solidarité-Psychiatrie, Montréal, VLB, 1984.

Rôle et place des ressources alternatives, Comité de santé mentale du Québec, ministère de la Santé et des Services sociaux du Québec, 1985.

Breggin, Peter, M.D., *Toxic Psychiatry*, New York, St. Martin's Press, 1991.

Cohen, David, Cailloux-Cohen, Suzanne et l'AGIDD-SMQ, *Guide critique des médicaments de l'âme*, Montréal, Éditions de l'Homme, 1995.

Table des matières

Quand les personnes traitées en psychiatrie prennent la parole, quand l'espoir devient une alternative 9

Qui j'étais et qui je suis devenu 11

L'escalade des difficultés 15

L'hospitalisation 27

La dérive 45

Le sevrage supervisé 65

Les durs réajustements à la vie 73

La gestion des troubles mentaux 87

Les groupes d'entraide 103

Mon expérience en tant qu'intervenant 127

L'avenir de la santé mentale 145

La vie avec un brin de folie 163

La schizophrénie, une maladie? 171

Adresses utiles 181

Bibliographie 183

Ouvrages parus aux Éditions de l'Homme

Psychologie, vie affective, vie professionnelle, sexualité

20 minutes de répit, Ernest Lawrence Rossi et David Nimmons
1001 stratégies amoureuses, Marie Papillon
À dix kilos du bonheur, Danielle Bourque
L'adultère est un péché qu'on pardonne, Bonnie Eaker Weil et Ruth Winter
* **Aider mon patron à m'aider,** Eugène Houde
Aimer et se le dire, Jacques Salomé et Sylvie Galland
À la découverte de mon corps — Guide pour les adolescentes, Lynda Madaras
À la découverte de mon corps — Guide pour les adolescents, Lynda Madaras
L'amour comme solution, Susan Jeffers
* **L'amour, de l'exigence à la préférence,** Lucien Auger
* **L'amour en guerre,** Guy Corneau
Les anges, mystérieux messagers, Collectif
Apprendre à dire non, Marcelle Lamarche et Pol Danheux
L'approche émotivo-rationnelle, Albert Ellis et Robert A. Harper
L'art de parler en public, Ed Woblmuth
L'art d'être parents, Dr Benjamin Spock
Balance en amour, Linda Goodman
Bélier en amour, Linda Goodman
Bientôt maman, Janet Whalley, Penny Simkin et Ann Keppler
* **Le bonheur au travail,** Alan Carson et Robert Dunlop
Cancer en amour, Linda Goodman
Capricorne en amour, Linda Goodman
Ces chers parents!..., Christina Crawford
Ces gens qui vous empoisonnent l'existence, Lilian Glass
* **Ces hommes qui méprisent les femmes... et les femmes qui les aiment,** Dr Susan Forward et Joan Torres
Ces visages qui en disent long, Jeanne-Élise Alazard
Changer en douceur, Alain Rochon
Changer ensemble — Les étapes du couple, Susan M. Campbell
Changer, oui, c'est possible, Martin E. P. Seligman
Les clés du succès, Napoleon Hill
Comment aider mon enfant à ne pas décrocher, Lucien Auger
Comment communiquer avec votre adolescent, E. Weinhaus et K. Friedman
Comment faire l'amour sans danger, Diane Richardson
* **Comment parler en public,** S. Barrat et C. H. Godefroy
Comment s'amuser à séduire l'autre, Lili Gulliver
Le complexe de Casanova, Peter Trachtenberg
* **Comprendre et interpréter vos rêves,** Michel Devivier et Corinne Léonard
La côte d'Adam, M. Geet Éthier
Découvrez votre quotient intellectuel, Victor Serebriakoff
Découvrir un sens à sa vie avec la logothérapie, Viktor E. Frankl
Le défi de vieillir, Hubert de Ravinel
* **De ma tête à mon cœur,** Micheline Lacasse
La dépression contagieuse, Ronald M. Podell
La deuxième année de mon enfant, Frank et Theresa Caplan
Devenez riche, Napoleon Hill
* **Dieu ne joue pas aux dés,** Henri Laborit
Les douze premiers mois de mon enfant, Frank Caplan
Les dynamiques de la personne, Denis Ouimet
Dynamique des groupes, Jean-Marie Aubry
En attendant notre enfant, Yvette Pratte Marchessault
* **Les enfants de l'autre,** Erna Paris

Les enfants de l'indifférence, Andrée Ruffo
* **L'enfant unique — Enfant équilibré, parents heureux,** Ellen Peck
L'Ennéagramme au travail et en amour, Helen Palmer
Entre le rire et les larmes, Élisabeth Carrier
* **L'esprit du grenier,** Henri Laborit
Êtes-vous faits l'un pour l'autre?, Ellen Lederman
* **L'étonnant nouveau-né,** Marshall H. Klaus et Phyllis H. Klaus
Être soi-même, Dorothy Corkille Briggs
* **Évoluer avec ses enfants,** Pierre-Paul Gagné
Exceller sous pression, Saul Miller
* **Exercices aquatiques pour les futures mamans,** Joanne Dussault et Claudia Demers
Fantaisies amoureuses, Marie Papillon
La femme indispensable, Ellen Sue Stern
La force intérieure, J. Ensign Addington
Le fruit défendu, Carol Botwin
Gémeaux en amour, Linda Goodman
Le goût du risque, Gert Semler
Le grand dauphin blanc, Bruno Saint-Cast
* **Le grand manuel des cristaux,** Ursula Markham
La graphologie au service de votre vie intime et professionnelle, Claude Santoy
Guérir des autres, Albert Glaude
Le guide du succès, Tom Hopkins
Histoire d'une femme traquée, Gaëtan Dufour
L'histoire merveilleuse de la naissance, Jocelyne Robert
Horoscope chinois 1997, Neil Somerville
Les initiales du bonheur, Ronald Royer
L'insoutenable absence, Regina Sara Ryan
J'ai commis l'inceste, Gilles David
* **J'aime,** Yves Saint-Arnaud
J'ai rendez-vous avec moi, Micheline Lacasse
Jamais seuls ensemble, Jacques Salomé
Je crois en moi et je vais mieux!, Christ Zois et Patricia Fogarty
Je réinvente ma vie, J. E. Young et J. S. Klosko
* **Le journal intime intensif,** Ira Progoff
Le langage du corps, Julius Fast
Lion en amour, Linda Goodman
Le mal des mots, Denise Thériault
Maman a raison, papa n'a pas tort..., Dr Ron Taffel
Ma sexualité de 0 à 6 ans, Jocelyne Robert
Ma sexualité de 6 à 9 ans, Jocelyne Robert
Ma sexualité de 9 à 12 ans, Jocelyne Robert
La méditation transcendantale, Jack Forem
Le mensonge amoureux, Robert Blondin
Mère à la maison et heureuse! Cindy Tolliver
* **Mon enfant naîtra-t-il en bonne santé?,** Jonathan Scher et Carol Dix
Parle, je t'écoute..., Kris Rosenberg
Parle-moi... j'ai des choses à te dire, Jacques Salomé
Parlez-leur d'amour, Jocelyne Robert
Parlez pour qu'on vous écoute, Michèle Brien
Pas de panique!, Dr R. Reid Wilson
Père manquant, fils manqué, Guy Corneau
Petit bonheur deviendra grand, Éliane Francœur
Les peurs infantiles, Dr John Pearce
Peut-on être un homme sans faire le mâle?, John Stoltenberg
* **Les plaisirs du stress,** Dr Peter G. Hanson
Poissons en amour, Linda Goodman
Pour entretenir la flamme, Marie Papillon
Pourquoi l'autre et pas moi? — Le droit à la jalousie, Dr Louise Auger
Le pouvoir d'Aladin, Jack Canfield et Mark Victor Hansen
Préparez votre enfant à l'école dès l'âge de 2 ans, Louise Doyon
* **Prévenir et surmonter la déprime,** Lucien Auger
Le principe de Peter, L. J. Peter et R. Hull
Psychologie de l'enfant de 0 à 10 ans, Françoise Cholette-Pérusse
* **La puberté,** Angela Hines

La puissance de la vie positive, Norman Vincent Peale
La puissance de l'intention, Richard J. Leider
Qui a peur d'Alexander Lowen?, Édith Fournier
Réfléchissez et devenez riche, Napoleon Hill
La réponse est en moi, Micheline Lacasse
Rompre pour de bon!, Joyce L. Vedral
Ronde et épanouie!, Cheri K. Erdman
S'affirmer et communiquer, Jean-Marie Boisvert et Madeleine Beaudry
S'aider soi-même davantage, Lucien Auger
Sagittaire en amour, Linda Goodman
Scorpion en amour, Linda Goodman
Se comprendre soi-même par des tests, Collaboration
Se connaître soi-même, Gérard Artaud
Secrets d'alcôve, Iris et Steven Finz
Les secrets de la flexibilité, Priscilla Donovan et Jacquelyn Wonder
Les secrets de l'astrologie chinoise ou le parfait bonheur, André H. Lemoine
* **Se guérir de la sottise,** Lucien Auger
S'entraider, Jacques Limoges
* **La sexualité du jeune adolescent,** Dr Lionel Gendron
Si je m'écoutais je m'entendrais, Jacques Salomé et Sylvie Galland
* **Superlady du sexe,** Susan C. Bakos
Taureau en amour, Linda Goodman
Le temps d'apprendre à vivre, Lucien Auger
Tics et problèmes de tension musculaire, Kieron O'Connor et Danielle Gareau
Tirez profit de vos erreurs, Gerard I. Nierenberg
Tout se joue avant la maternelle, Masaru Ibuka
* **Travailler devant un écran,** Dr Helen Feeley
Un autre corps pour mon âme, Michael Newton
* **Un monde insolite,** Frank Edwards
* **Un second souffle,** Diane Hébert
Verseau en amour, Linda Goodman
* **La vie antérieure,** Henri Laborit
Vieillir au masculin, Hubert de Ravinel
Vierge en amour, Linda Goodman
Vivre avec un cardiaque, Rhoda F. Levin
Vos enfants consomment-ils des drogues?, Steve Carper et Timothy Dimoff
Votre enfant est-il victime d'intimidation?, Sarah Lawson
Vouloir c'est pouvoir, Raymond Hull

Affaires et vie pratique

* **1001 prénoms, leur origine, leur signification,** Jeanne Grisé-Allard
100 stratégies pour doubler vos ventes, Robert L. Riker
* **Acheter et vendre sa maison ou son condominium,** Lucille Brisebois
* **Acheter une franchise,** Pierre Levasseur
* **Les assemblées délibérantes,** Francine Girard
* **La bourse,** Mark C. Brown
* **Le chasse-insectes dans la maison,** Odile Michaud
* **Le chasse-insectes pour jardins,** Odile Michaud
* **Le chasse-taches,** Jack Cassimatis
* **Choix de carrières — Après le collégial professionnel,** Guy Milot
* **Choix de carrières — Après le secondaire V,** Guy Milot
* **Choix de carrières — Après l'université,** Guy Milot
Clicking, Faith Popcorn
* **Comment cultiver un jardin potager,** Jean-Claude Trait
Comment rédiger son curriculum vitæ, Julie Brazeau
* **Comprendre le marketing,** Pierre Levasseur
La conduite automobile, Francine Levesque
La couture de A à Z, Rita Simard
Des pierres à faire rêver, Lucie Larose
* **Des souhaits à la carte,** Clément Fontaine
* **Devenir exportateur,** Pierre Levasseur
* **Écrivez vos mémoires,** S. Liechtele et R. Deschênes

* **L'entretien de votre maison,** Consumer Reports Books
* **L'étiquette des affaires,** Elena Jankovic
* **Faire son testament,** Me Gérald Poirier et Martine Nadeau
* **La généalogie,** Marthe F.-Beauregard et Ève B.-Malak
* **Gérer ses ressources humaines,** Pierre Levasseur

La graphologie, Claude Santoy
* **Le guide Bizier et Nadeau,** R. Bizier et R. Nadeau
* **Le guide de l'auto 97,** J. Duval et D. Duquet
* **Guide des arbres et des plantes à feuillage décoratif,** Benoit Prieur
* **Guide des fleurs pour les jardins du Québec,** Benoit Prieur
* **Le guide des plantes d'intérieur,** Coen Gelein
* **Guide des plantes pour la maison,** Benoit Prieur
* **Guide des voitures anciennes,** J. Gagnon et Colette Vincent
* **Guide du jardinage et de l'aménagement paysager au Québec,** Benoit Prieur
* **Guide du potager,** Benoit Prieur
* **Le guide du vin 97,** Michel Phaneuf
* **Guide gourmand 97 — Les 100 meilleurs restaurants de Montréal,** Josée Blanchette
* **Guide gourmand — Les bons restaurants de Québec — Sélection 1996,** D. Stanton

Guide pratique des vins d'Italie, Jacques Orhon
* **J'aime les azalées,** Josée Deschênes
* **J'aime les bulbes d'été,** Sylvie Regimbal

J'aime les cactées, Claude Lamarche
* **J'aime les conifères,** Jacques Lafrenière
* **J'aime les petits fruits rouges,** Victor Berti

J'aime les rosiers, René Pronovost
* **J'aime les tomates,** Victor Berti
* **J'aime les violettes africaines,** Robert Davidson

J'apprends l'anglais..., Gino Silicani et Jeanne Grisé-Allard
Le jardin d'herbes, John Prenis
* **Lancer son entreprise,** Pierre Levasseur
* **La loi et vos droits,** Me Paul-Émile Marchand
* **Le meeting,** Gary Holland

Le nouveau guide des vins de France, Jacques Orhon
* **Nouveaux profils de carrière,** Claire Landry

L'orthographe en un clin d'œil, Jacques Laurin
* **Ouvrir et gérer un commerce de détail,** C. D. Roberge et A. Charbonneau
* **Le patron,** Cheryl Reimold
* **Le petit Paradis,** France Paradis
* **La planification fiscale étape par étape,** Diane Blais et Michel Lanteigne
* **Prévoir les belles années de la retraite,** Michael Gordon

Le rapport Popcorn, Faith Popcorn
* **Les secrets d'une succession sans chicane,** Justin Dugal

La taxidermie moderne, Jean Labrie
* **Les techniques de jardinage,** Paul Pouliot

Techniques de vente par téléphone, James D. Porterfield
* **Tests d'aptitude pour mieux choisir sa carrière,** Linda et Barry Gale
* **Tout ce que vous devez savoir sur le condominium,** Robert Dubois

Une carrière sur mesure, Denise Lemyre-Desautels
L'univers de l'astronomie, Robert Tocquet
Un paon au pays des pingouins, B. Hateley et W. H. Schmidt
La vente, Tom Hopkins

Affaires publiques, vie culturelle, histoire

* **Antiquités du Québec — Objets anciens,** Michel Lessard
* **Apprécier l'œuvre d'art,** Francine Girard
* **Autopsie d'un meurtre,** Rick Boychuk
* **La baie d'Hudson,** Peter C. Newman
* **Banque Royale,** Duncan McDowall
* **Boum Boum Geoffrion,** Bernard Geoffrion et Stan Fischler

Le cercle de mort, Guy Fournier
* **Claude Léveillée,** Daniel Guérard
* **Les conquérants des grands espaces,** Peter C. Newman

* **Dans la fosse aux lions,** Jean Chrétien
* **Dans les coulisses du crime organisé,** A. Nicasso et L. Lamothe
* **Le déclin de l'empire Reichmann,** Peter Foster
* **De Dallas à Montréal,** Maurice Philipps
* **Deux verdicts, une vérité,** Gilles Perron et Daniel Daignault
* **Les écoles de rang au Québec,** Jacques Dorion
* **Étoiles et molécules,** Élizabeth Teissier et Henri Laborit
La généalogie, Marthe F. Beauregard et Ève B. Malak
Gilles Villeneuve, Gerald Donaldson
Gretzky — Mon histoire, Wayne Gretzky et Rick Reilly
* **Les insolences du frère Untel,** Jean-Paul Desbiens
* **Jacques Parizeau, un bâtisseur,** Laurence Richard
* **Moi, Mike Frost, espion canadien…,** Mike Frost et Michel Gratton
* **Montréal au XXe siècle — regards de photographes,** Collectif dirigé par Michel Lessard
Montréal, métropole du Québec, Michel Lessard
* **Les mots de la faim et de la soif,** Hélène Matteau
* **Notre Clémence,** Hélène Pedneault
* **Objets anciens du Québec — La vie domestique,** Michel Lessard
* **Option Québec,** René Lévesque
Parce que je crois aux enfants, Andrée Ruffo
* **Pierre Daignault, d'IXE-13 au père Ovide,** Luc Bertrand
* **Plamondon — Un cœur de rockeur,** Jacques Godbout
* **Pleins feux sur les… services secrets canadiens,** Richard Cléroux
* **Pleurires,** Jean Lapointe
Québec, ville du Patrimoine mondial, Michel Lessard
* **Les Quilico,** Ruby Mercer
René Lévesque, portrait d'un homme seul, Claude Fournier
Sauvez votre planète!, Marjorie Lamb
* **La sculpture ancienne au Québec,** John R. Porter et Jean Bélisle
Sir Wilfrid Laurier, Laurier L. Lapierre
La stratégie du dauphin, Dudley Lynch et Paul L. Kordis
* **Le temps des fêtes au Québec,** Raymond Montpetit
* **Trudeau le Québécois,** Michel Vastel
* **Un amour de ville,** Louis-Guy Lemieux
Villages pittoresques du Québec, Yves Laframboise

---

* Pour l'Amérique du Nord seulement.
(97/06)

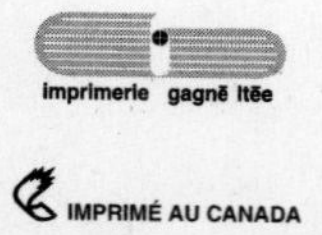

IMPRIMÉ AU CANADA